JN089437

新装版

仏教とは何か

横超慧日

法藏館

本書は、昭和五八（一九八三）年刊行の『仏教とは何か』第九刷をオンデマンド印刷で再刊したものである。

再刊にあたって、今日の人権意識に照らして好ましくない表現が見られますが、原文の時代背景や著者が差別を助長する意図で使用していないこと、著者が故人となっていることなどを考慮し原文のままといたしました。

はしがき

仏教について全く何の予備知識もない人に、それがどんな教えかということを語るということは決して容易でない。なぜなら一口に仏教と言っても、今日の日本では現実に多くの宗派が分れているから、どの宗派にもかたよらないで仏教を語るということは殆んど不可能だからである。ところが、多くの人々は先ず初めに仏教について知ろうとする時、宗派化された教義を避けて、根本的な一貫した教を知りたいと思う。そこで最も古い聖典は何かと尋ね結局に於て原始仏教にさかのぼり、それ以後のものについては信じようとしない人々が多い。そのため大乗経典やそれに対する中国日本の高僧方の解釈がしばしば軽視され無視され勝ちである。然し私たちは史実を知ろうとするのでなく、私自身が生きる上に最も重要なことがらを、仏教では古来どのように教えられてきたかを知りたいのであるから、聖典の成立年代が古いということだけが信仰の根源であるとは言えないであろう。二千五百年間に亘り、古賢が聖典の中から何が一番大切かということを求め考えてきたその足跡をたどらねばならぬのである。そこで本書は、歴史的事実の記述を主とするよりも、仏教の名において古来信ぜられ語り伝えられたことを主として、それを私なりに簡潔にまとめてみたものである。これは私が見た仏教観であり、私の信じている仏教観である。他の方々の信仰や意見を批判する意図はなく、決してこれのみが正しいとかこれがすべてである等という考えは毛頭ない。ただ管見を通したこの小著がこれから仏教について知ろうと望む方々にとって些かでも参考となればありがたいと思うことである。

本書の第一部は、昭和三十九年九月二十一日から三日間毎朝一時間づつ、京都の高倉会館で行った仏教入門講座の講演要旨を主体とし、それに若干の修補を加えたもので、その時の題は「仏教のあらまし—三宝を中心として」ということであったが、仏法僧の三宝を具備したものが仏教であるという観点から、仏陀と教法と僧伽について入門者のために初歩的なことを述べた。第二部は、ＮＨＫの、テレビやラジオで放送したものの原稿と二三の雑誌に発表したもの及び未発表のもの等六篇の小文を集録したもので、すべて学術的な専門用語をできるだけ避け、つとめて平易な叙述の中に第一部で説いた趣旨を補足し且つ理解を助けると思われるようなものを選んで載せた。

昭和四十一年一月

著者

目次

第二編　仏教の視点

第一編　仏教とは何か

一　三　宝

三宝という語には仏教の三要素を包含し且つ尊敬の意味を持っている

聖徳太子が制定せられた十七条憲法の第二条に、「篤く三宝を敬え、三宝とは仏・法・僧なり」と言われている。これは仏教を敬えということを教えられたのであるが、太子は仏教を敬えと言わないで三宝を敬えと言われた。それはどんな理由によるかというに、太子と同じ時代の中国では、一般に仏教徒は仏教のことを三宝と呼ぶことが多かったからである。仏教のことを仏法と言ったり仏道と言ったり、また釈氏の教という意味で釈教と称したこともあるが、帰依尊崇の意をこめていう時には三宝と称していた。仏教といえば文字の上からは仏の教ということであるが、通常はただ仏の教をさすだけでなく、教の主である仏陀やその教に従って学ぶ人々全体、すなわち僧伽までを含んだものが一括して仏教であると考えられるのであるから、従って厳密にいえば仏教という語でこれらすべてを含ませるのは適当でない。ところが三宝というと、教主である仏陀と、仏陀の教と、その教に従って信じ学ぶ人々とを包含し、今日の言葉で通常われわれが仏教という時に意味している内容がすべてこの中に具体的に包括されているといってよい。そこでこの仏陀と教法と僧伽とを古来三宝と称している。宝は最勝なるものであり、どんな時代になっても、またどんな世界へいってもその真価はかわることがない。そしてそれは人を富ましめる力を持っている。仏・法・僧の三者はちょうどそうした意味を持っているので、合せて三宝と称されるようになったのであって、つまりこの言い方の中には、仏教徒の立場から言い表わす尊敬の意がこめられているのである。

仏教を三宝の名を以て呼んだ隋唐頃の例

そのようなわけで、聖徳太子の頃、中国では仏教のことを三宝の名で呼ぶ言い方が広く行われていた。例えば、日本で聖徳太子が生まれられた、その同じ年（五七四）に、中国では北周の武帝が仏教に大弾圧を加えて国内の仏法を廃滅したのであるが、この時皇帝である武帝に向い決死の覚悟をもつてそれを思い止まらせようとした慧遠（えおん）という人は、

陛下今王力自在を恃（たの）んで三宝を破滅す、これ邪見の人なり。阿鼻地獄（あびじごく）は貴賤を簡（えら）

ばず。

と言って諫めている。すなわち仏教を廃止しようとすることを三宝破滅と称しているのである。中国ではその後、隋の世になって再び仏教が盛に興隆することになったが、その時費長房（ひちょうぼう）という人は、聖典を主とした仏教の歴史を編纂してそれを朝廷へ献上した。彼はその本を歴代三宝紀と名ずけている。今日の言葉で言えば仏教史というべきところを、歴代三宝紀と言ったのである。また太子より少しく後輩にあたる有名な中国の仏教史家に道宣という人があるが、この人は三宝感通録という書物を著している。その内容は、仏教に関する色々の感応の事跡を集録したものであった。その他日本でも、平安朝時代に三宝絵詞（さんぼうえことば）という仏教の説話集がある。

三宝は相互に不可分で三宝に帰依することが仏教信仰の第一歩

ともかくこのようにして三宝とは仏教を成立させる三つの要素であり、その中のどの一つが欠けても仏教とは言えないのであるが、しかもこの三つは相互に関連しているから他ときりはなしては考えられないものであった。仏があってこそ仏の説かれる法があり、また仏は法を説かれるからこそ仏なのである。だから仏と法とは不可分であるが、法と僧との関係についても同様のことが言われる。仏の説かれる法というものは相手なしの法ではなくて、必ずその教を受けてそれを学ぶ僧があっての法であり、僧もまた単に雑然と多くの人が集まっているのでなく法を紐帯とし法によって結ばれた人々である。故に法なくしては僧は成り立たず、僧を予想せぬ法というものもあり得ない。このようにして三つの中のどの一つをとってみても必ず他の二つが随伴し、三者は不可分であり個々に単独では考えられないのである。それ故仏に帰依して仏教徒となることを古来三宝に帰依すると言い、この三宝帰依すなわち三帰依を以て仏道修行の出発点としてきたのであった。南方の仏教徒は、

ブッダンサラナムガッチャーミ　　ダンマンサラナムガッチャーミ　　サンガン
サラナムガッチャーミ

と唱えて、ブッダ（仏陀）・ダンマ（教法）・サンガ（僧伽）の三宝に帰依する。この三帰依文は、近来日本でもよくとなえられるようになった。日本や中国の仏教徒は昔から、

自ら仏に帰依したてまつる。当に願わくは衆生とともに、大道を体解して無上意を発さん。

自ら法に帰依したてまつる。当に願わくは衆生とともに、深く経蔵に入って智慧海の如くならん。

自ら僧に帰依したてまつる。当に願わくは衆生とともに、大衆を統理して一切無碍（むげ）ならん。

と唱えているが、これは華厳経浄行品（けごんぎょうじょうぎょうほん）の文に拠ったものである。真言宗や禅宗などで読まれる大悲心陀羅尼（だいひしんだらに）は、最初が

ナムカラタンノートラヤーヤ

で始まるが、これも南無三宝の音写語で、三宝帰依の意に外ならない。

このようなわけで、仏教は三宝によって成立し、三宝帰依が仏教信仰の根柢をなすのであるから、以下その仏・法・僧の三つについて各々その内容を概略解説すると共に、それらが何故に帰依されねばならぬかという事情についても、大要を知るためのよすがにしたいと思う。

二　仏陀

仏教は仏を求める宗教

初にまず仏について述べよう。仏は通常日本の言葉でホトケといい、何も知らぬ子供でも、お寺や自分の家の仏壇(ぶつだん)にはホトケさまが祀(まつ)ってあって、その前へ出ると手を合せて拝むのだ、というぐらいのことは知っているが、それではそのホトケとは何であるか、何故にホトケをおがむのであるかということになると、それは決して簡単な問題ではない。なぜならば、仏教というものは、実は、「仏とは何ぞや」「何故に仏は尊崇されねばならぬか」ということを徹底的に究めつくして、「自分がその仏と一体になることを目的とする宗教」それが仏教であるからであって、仏教二千五百年の歴史というものも、一言にして言えば人類が仏を求め追究してきたその思惟実践の歴史であると言うことができるであろう。最澄も空海も道元も親鸞も日蓮も、みなこのことのために情熱を傾けたのである。仏を知り、仏を明かにし、仏にまみえ、仏の心を知り、仏と一体になるということは、各自が全生命をかけて学びとらねばならぬ所であるが、ここではその手がかりとして、古人によって仏を求められたその足跡を極めて簡単にたどってみることにする。

仏陀とは覚者の意味　ゴータマ・シッダールタと仏・如来

日本語でホトケというが、それを中国では仏または仏陀と書き、そのもとは古代インドの言語サンスクリット（sanskrit）でブッダ（buddha）といって、意味は〝覚った者〟すなわち覚者という意味の語であった。われわれは通常、仏陀というと釈尊を指すことにしている。釈尊は今から凡そ二千五百年前のインドに生まれられた聖者（muni）で、釈迦族（śākya）から出られた聖者であるから釈迦牟尼（しゃかむに）とも呼ばれるが、本名はゴータマ・シッダールタ（Gautama Siddhārtha）という方であった。そのゴータマ・シッダールタ（瞿曇（くどん）・悉達多（しっだった））という方が人生普遍の真理を覚られたので、その方を覚者すなわち仏陀と呼んでいるのである。故に、ゴータマ・シッダールタというのは個有名詞であるが、仏陀というのは、ほんらい普通名詞であり資格を表わす語であるから、釈迦仏または釈迦牟尼仏という方は唯一人で他にないが、仏陀という地位身分になつた方や、なるであろう方は、他にいくらもあるはずであり、現にわれわれもそうした仏陀になりたいと願っているのである。

いま言ったように、仏とか仏陀とかいうのは〝覚った人〟という意味の語であるが、それではその仏は何を覚ったかと言えば、真理を覚ったのである。人生普遍の真理を覚ったのである。その人生普遍の真理とは、ものごとをありのままの相(すがた)に於て見られた時のその相を指していうのであるから、これを如(にょ)とか法性(ほっしょう)とか実際(じっさい)とか真如(しんにょ)とか諸法実相(しょほうじっそう)などという。仏は真如を覚って仏になられたのである。その意味では、真如から現われて来た方であるということもできる。仏のことを如来(にょらい)ともいうが、如来という時には真如、真理との関連を重視した呼び方であり、覚った者または覚らせる者という意味に主眼をおく仏という呼び方とは多少重点の相違があるのである。なお如来の十号と称して、如来には仏とか世尊とかその他合して十の尊敬した呼び方があるけれども、一般的には如来と仏とが多く用いられる。仏は世界中で最も尊い方であるから世尊といい、釈尊というのは釈迦牟尼世尊を略して言った言葉である。

三世の諸仏・過去七仏・毘婆尸仏・然燈仏・弥勒仏

仏によって覚られた理法は、仏によって勝手に作られたものではない。仏が出現されようとされなかろうと、そういうことには関係なくもともとあったはずのものである。それを誰も気づかず覚らなかったのに対し、釈尊がはじめてこれを覚られたのであった。従ってその理法は、久遠の昔から存在し、また永遠の未来に亘って存続するものに相違ない。つまりどんなに世は移りかわったとしても、人生には変らぬ真実が秘められている。そういう真実を釈尊は覚られたのである。このように考えてくると、歴史上の記録には今伝わっていないけれども、その理法を覚って仏となった方が遠い遠い昔に多く出られたかも知れぬ。また未来にもそういう仏が多く出られることがないとどうして断言できよう。人類の僅か三千年や五千年の記録に載っていないからと言って、永遠不滅なる法の存在するかぎり、過去にも未来にも釈尊以外に仏がないとは言えないであろう。昔、毘婆尸仏や尸棄仏など釈迦仏を含めて過去七仏が出現されたという信仰や、釈迦仏の前に現われて釈迦仏の出現を予言した然燈仏という仏があったという信仰などは、こうした考え方に基いて興ってきたのである。また未来に五十六億七千万年の後、この世界に弥勒という仏が出現されることになっていて、その仏は今は弥勒菩薩という資格で兜率天で待機しておられると信ぜられているが、その弥勒仏というのも、要するに未来に多く出現されると考えられる諸仏の中の一仏に外ならぬのである。

仏はこうして、過去にも未来にも限りなく多く出現されると考えられるが、現在においても、もしわれわれの知らぬ世界が数多くあるとするならば、そこにはわれわれが知らぬだけのことであって、それぞれの世界にまたおのおの仏がおられるに相違ない。なぜかといえば、どんな世界であっても、凡そ人の住む世界には、われわれの住む世界と同じ真理が支配しておるに相違ないから、そうした真理のあるところこれを覚る仏がないとはとうてい考えられないからである。このようにして、われわれの住むこの娑婆世界だけで言えば、現に釈迦一仏であるけれども、娑婆世界の外に東西南北の四方と上下との六方、または東西南北の四方とその四隅及び上下を合せて十方に、それぞれ数限りなく世界があるとするならば、ここに六方諸仏とか十方諸仏とかいうことを考えねばならぬことになる。それらの諸仏は数えきれぬ程多いことであろう。それを恒河（ガンジス河）の沙の数ほどに多いという意味で、古来、十方恒沙の諸仏という言い方をするのであるが、この三世諸仏といい十方恒沙の諸仏ということは、要するに釈尊によって覚られた理法・真理が普遍絶対のものであるという意味から展開した信仰に外ならぬ。故にわれわれは、これをもつて現実的に時間及び空間上の多仏存在を主張したものと認め、その理由により仏教は結局非現実的な夢のような空想を説くものであるなどと考えたならば、それは全く見当違いも甚しい了解であると申さねばならぬのである。

仏の定義一　自ら覚ったもの　菩提・涅槃・解脱

以上述べてきたように、釈尊以外にも多くの仏の存在が信ぜられるということになると、ここでどうしても仏の定義をはっきりさせておかねばならぬ。それで一般に多く用いられている説は、次のようである。「仏とは、自らの覚りを完成し、また他を覚らしめようとの願を持ち、しかもその目的を達成した方である」と大体このように言えるのであって、これを古来の術語では、自覚・覚他・覚行窮満と申している。初めにまず自ら覚ったものという点についてみるに、釈尊を例にとって言えば、釈尊はもと一国の王子として生まれた一人の人間であったが、人生の本質的な苦悩に目ざめ、その苦悩を解決する道を求めて出家せられた。そして自ら苦行の実践をし、また禅定を行ずる哲人にもついて学ばれたけれども、結局それらの方法は無効であることを知り、ひとり迦耶城 gayā のほとりにあるピッパラ樹の下に坐って、冥想思惟の後、苦悩の根源をつきとめ正覚成道せられた。この時、仏の覚りに対して師となって教授したものはないのでこれを無師独悟といい、また成道によって自身の苦悩は解決せられたので自らの覚りを全うしたものという意味で覚者と名づけられる。仏が正覚成道せられたというのは、苦悩の根源をつきとめることによって、苦悩なき安穏自在の境地に到達せられたことである。その苦悩なき安穏自在の境地を涅槃という。その涅槃へどのようにして到達せられたかというに、人間の本質をありのままなる相において知り尽されたからであって、それを仏教では覚ったというのである。その覚った智慧のことを菩提という。それは最高の正しい智慧であるという意味で、阿耨多羅三藐三菩提とも称せられる。またこの菩提を得て涅槃に到達した仏は、もはや苦悩がないのはもちろん苦悩の原因となる煩悩からも解放せられて、完全なる自主自在の人格である。そこで、それらの苦やその原因から解放せられているという意味で、そうした境地を解脱ともいう。以上のことから、仏は正しい智慧を得て、苦しみやその原因から解放せられ、すべて自主自在に行動できる安穏なる人格者であることが知られた。

仏の定義二　他を覚らせようとの願を発したもの　独覚（縁覚・辟支仏）と仏との相違

仏が自ら覚ったものであるということは、仏の性格を説く上での第一条件であるが、まだそれだけでは十分でない。最も重要なことは、自ら覚っただけでなく、また他を覚らせようとの願を発したものでなければならぬということである。ただ自ら覚ったということだけが仏のすべてであるとするならば、どうであろうか。自ら覚っただけで他人を覚らせようとせぬ人、そういう人も世の中にあり得るであろうが、それをも仏と言ってよいかどうか。自ら覚っただけで他人を覚らせようとしないならば、そこには教というものが成立しない。教がないから弟子もない。教がなく弟子がなければ、その自ら覚った人は、その人自身においてはどんなに尊いにせよ、広く社会一般から見る時何の意味もないのである。その人が覚った人であるということすら人類に知られず、その存在意義は無に等しいと言っても過言ではない。少なくも、毒にはならぬであろうが、薬になるものではない。かくして、自ら覚っただけでなく他をも覚らせる方を仏と名づけ、自ら覚っただけで他人のことを念頭におかぬ者はこれを独覚と称して仏と区別せられることになった。独覚は原語で辟支仏（pratyeka-buddha）といい、縁起を覚った者という意味から縁覚ともいう。この独覚という考え方が起ったのは、そういう独覚が現にあるというのでなく、仏における教の尊さを表わそうとしたために外ならない。すなわち、もし他を覚らせようとする仏の教がなかったならば、われわれは永久に救われることがなかったであろう。そこでそういう自分が仏の教に値い得た感激から、教の尊さを側面より表現しようとして、ここに独覚という資格の存在を想定させることとなったのである。

鹿野苑の初転法輪で三宝が成立した　仏陀と声聞

釈尊は菩提樹の下に坐って冥想しさとりを得られた。それ故ほんらいならこの時以後釈尊を呼んで仏陀と称してよいはずであるが、しかし実際は教化し説法される段階に至って初めて仏陀と呼ぶのである。釈尊は、成道の後二週間もしくは三週間その場に在って、自分の覚りに対する確認とその後人に向って法を説くための計画をねられたのであるが、やがて鹿野苑（ろくやおん）にゆき、そこにいたかっての道友五人に対し自己の得た覚りの境地を語られた。この最初の説法を初転法輪（しょてんぼうりん）という。それは、正しい法を明かにすることによって誤まった考え方が粉砕されるのを、輪宝という武器によって邪悪を対治するのに喩えたことから起った言い方である。ともかくこの説法によって初めて釈尊の仏陀（覚者）であることが明らかとなったのであるから、覚者という意味の仏陀は説法の有無に関係ないはずであるけれども、実際には説法者になられた上でこれを仏と呼ぶことになった。自ら覚り且つ他を覚らせる者が仏陀であるという定義は、こうした所から起ってくる。さて仏陀の法を聞いた五人は、その弟子となったので、ここに初めて仏と法と僧との三宝が成立したのである。この時の弟子は五人であり、すべて男子のみであった。後には弟子の数が次第にふえ、やがて女性の弟子もできるようになったが、これらの弟子のことを声聞という。声聞とは、言葉の意味は〝聞き手〟すなわち教を聞く人ということで、弟子は師の教を聞いて学ぶ者であるからこれを声聞というのである。釈尊のお弟子の中には、智慧第一といわれる舎利弗や、神通に秀でた目連、空の意味を体得することの深かった須菩提、釈尊の滅後教団を統率した摩訶迦葉、弁舌に長じていた富楼那、長らく世尊の侍者として仕えた阿難等を初めとして、多くの錚々たるお弟子があったが、これらの人々はみな声聞である。

仏の徳は智慧と慈悲とをもつて主要なものとし中でも慈悲の徳が仏心を代表する

いま弟子である声聞の立場から師である仏を仰ぎ見た時に、どのような心情が浮ぶことであろうか。仏は覚った方であるのに対し、声聞はまだ覚っていないのである。たとえ声聞が覚りを得たとしても、その覚りは師である仏の導きによって得られたものであり、師なくして自ら覚った仏と同等であることはできぬ。そこで覚った上では師弟一味の覚りであるはずであるけれども、弟子の心情からすれば、仏の智慧と声聞の智慧とが同等であるとは絶対に考えることができない。更に進んで考えるに、仏は自ら得た覚りに立って教を説かれたが、その教は慈悲心の発露というべきである。釈尊は覚りを得る前に自分で苦しまれた。そういうことから推察すれば、その覚りがないために世の人々はみな苦しんでいるのであるから、それを黙過することができない。仏の教化はたしかにそのように考えることからなされたものに相違ない。自分は幸いに仏の教に値うことができたけれども、もし仏の教に値わなかったとしたならばいつまでもはてしない苦しみ迷いの生活を続けねばならなかったであろう。そう考えると、教を聞き得た喜びから、しみじみと仏の慈悲心を感じないではおられない。かくて仏は、自ら他の力を借りずして人生の真実を究めつくされたという点で大智慧者であり、また教え説くことによって他人の苦しみ悩みを救われたという点で大慈悲者であるといわねばならぬ。このように仏の徳としては智慧と慈悲とが最も重要なのであるが、中でも仏弟子にとって一番痛切に感ぜられるのは慈悲の徳である。釈尊はたしかに、もとは自分の悩み苦しみを解決するために出家修道して成仏せられたのであろう。しかしいま仏の教を受けて苦悩から免れることができた仏弟子にしてみれば、結局において仏陀の出家修道も成道も、すべては私一人を救うためではなかったか。ここに、「仏心とは大慈悲これなり」という経説や、「弥陀の五劫思惟の願をよくよく案ずれば、ひとえに親鸞一人がためなりけり」というような、そうした感激がおこってくる源がある。

仏の定義三　自ら覚ることと他を覚らせることとの二つの目的を達成したもの　完成の態を仏といい修行の態を菩薩という

仏が自ら覚って且つ他を覚らしめる方すなわち智慧と慈悲との主であることは以上によって知られたが、なおここに銘記しておかねばならぬのは、更にその自覚と覚他との二利の円満し完成した方であるということである。釈尊は成道以前より自覚（上求菩提）と覚他（下化衆生）との願を持っておられたに相違ない。そして成道に至るまでの修行はみなその願を達するための努力であったと考えられる。もしそうならば、成道して仏となられるまでの間は覚りを求めておられた、すなわち、自分が覚ることと他人を覚らせることと、その二者の完成を求めておられた段階であるから、その期間はこれを〝覚を求めるもの〟という意味で〝覚有情〟と呼んだらよいであろう。覚（さとり）のことをサンスクリットでは菩提（bodhi）という。また生きもののことを薩埵（sattva）という。薩埵は中国の言葉では、有情とか衆生とか訳されるが、人間に限らずすべて生命あるものをいうのである。ともかくこのように覚りを求めて修行している段階を菩提薩埵といい、一般には略して菩薩という。それゆえ菩薩というのは、要するに、仏の覚を求めて仏に具わるべき徳を着実に一歩一歩実践している姿をいうのであると理解すればよい。菩薩と仏とは、自ら覚り他を覚らせるという目的は同じであるが、その目的の完成した態を仏といいその目的に向って努めている態を菩薩というのである。われわれも仏道を志し求めている点で菩薩と言ってよい。或は菩薩の中に入りたいと願っているのである。菩薩の徳はこれを分けるといろいろに考えられるが、それらを典型的に実践している方があると信ぜられる。例えば、勢至菩薩は智慧、観世音菩薩は慈悲、普賢菩薩は行、文殊菩薩は智慧というように、これらの菩薩はすべて仏が具備せられるもろもろの徳の中の一面を人格的に代表しておられる方であると信ぜられている。

仏の教化は言葉のみでなく身を以ても示される

以上述べてきた所で、仏と声聞との関係、仏と辟支仏との関係、仏と菩薩との関係などが、ほぼ理解せられたことと思う。この仏には十力・四無所畏・十八不共法などという仏にのみ特有な徳があるといわれているが、ともかく、仏という以上は徳を離れて仏はないということを知らねばならぬ。故に釈尊が仏であるというのは仏の徳を具えておられるから仏なのであり、徳を離れて単に肉体だけを指して仏ということは全くないのである。

釈尊は八十才の寿命を終えて死なれたので、その肉体には始めがあり終りがあった。成道して説法せられたのは三十才から以後の五十年間であったと言われるから、仏陀としての釈尊は寿命五十年の肉身を持たれたということになる。しかし釈尊は肉身がなくなられたとしても、仏陀としての徳もその時に消滅してしまったといえるであろうか。たしかに世尊の死は悲しく、仏弟子にとって抑えきれぬ歎きである。今まで主とたのみ師と仰ぎ親とすがってきた世尊、その世尊と死別するのは、光明を失って闇黒の中におちこむ思いである。だが心静かに考えなおしてみよう。肉身は火葬によって地上から失われたが、その教法は厳として今も残っている。肉身は教法を説くための肉身であるから、教法が存する限り肉身の現にいますのと異ることがないではないか。更に進んで考えるに、釈尊の死は、単に肉体的寿命の限界がきたために死なれたのではなかろう。それは教の完成であったに相違ない。仏としてなすべきことをなし終えた世尊は、最後に自らの身を以て教を全うせられたのではなかろうか。そう考えると、釈尊の死は教を全うするための手段であり、釈尊といえどもその肉身は死を免れるものでないことを実証せられたと言ってよいかも知れぬ。そして人生における死の意味——それは生の意味ときりはなしたものではない——を切実に熟考させようとの限りなき慈悲の心からの導きであったとも受けとられるのである。

釈尊の死がその教を全うするための方便であったとすれば、死ばかりでなく生もまた教のための方便であり、けっきよく釈尊の一生がすべて教のための方便と信ぜられる。すなわち釈尊は教を説くために出現せられた。その出現された仏は世に応じて現われられたから応身仏といってよい。しかしそのように世に応じて仏が現われられるということは、その教を説くという目的の主体となる仏が根本にましますことを当然予想する。根本に教の主として、限りなき智慧と限りなき慈悲をそなえ、一人残らず救わなければ止まぬという願をおこしてそのための力を完成した仏、そういう仏のあることを信じないではおれない。そのような仏は願をおこしてその願に報いて目的を達成した方であるというところから、報身仏と呼ばれる。智慧は光によって象徴されるから、その仏が限りなき智慧の主であることを表わして無量光仏といい、また慈悲は無量の寿命をもって人類（有情・衆生・生命あるもの）のつづく限りすべてを救うことによって充されるから、その仏が限りなき慈悲の主であることを表わして無量寿仏という。その仏は無量無碍の光によって賢愚善悪の別なく照し、無量の寿命によって万人に希望の命を与えられる。故に、無量光仏といい、無碍光仏といい、無量寿仏ともいうが、それは名に従って別な仏があるのでなく、一仏なのである。一仏の徳を光と寿命の二面から呼んで無量光仏といい、無量寿仏と言ったのに外ならない。無量という語は、梵語ではアミタ amita という。阿弥陀仏というのはこのような根本の仏に対する名である。

阿弥陀仏と釈迦仏との関係

以上のことから知られるように、釈迦仏はこの世界へ応現せられた仏であるが、阿弥陀仏はそういう応現の根本たる仏である。だから阿弥陀仏と釈迦仏とは同じ次元において見られるものでなく、釈迦仏は阿弥陀仏の智慧と慈悲とを人々に知らせようという、そういう使命を帯びてこの世界に出現されたと考えられる。釈迦仏は現在の仏であり、然燈仏は過去の仏であり、弥勒仏は未来の仏である。しかし阿弥陀仏はそれらの仏とは異り、多仏の中の一仏でなく、多仏の根本なる一仏である。我々は釈迦仏を通して、阿弥陀仏を教えられる。釈迦仏の教というも、終局的には阿弥陀仏の願と力とを知らせることに帰すると言ってよい。法華経や無量寿経は、実にこのことを説いているのである。

ただし、法華経や無量寿経にそのことが説かれていると言っても、文面にとらわれて文意を深く洞察しないならば、容易にそれを了得することができぬ。そのために、阿弥陀仏は西方の極楽世界におられるというが、そのような他方の仏よりもこの世界の釈迦仏の方が尊く親しいと言ったり、現実に確かなのは釈迦仏だけであって、阿弥陀などというのは、他から仏教の中へまぎれこんだ異分子的思想だから信ずることはできぬ、などと言ったりすることになる。こういう人たちは、仏陀釈尊を単に歴史上の一偉人として尊敬するだけで、仏陀ということの本質について自ら深く考えてみたり、また仏教史の上でそれがどんなに究められてきたかを回想したことがないのではないかと危ぶまれる。恐らくそうした表面的な事実だけを問題にする立場からは、釈迦仏自体の仏たる所以も本当に知ることができぬと言っても過言でなかろう。

聞いて知っている仏と私の救い手としての仏

私は更に一言つけたしておきたい。それは、たとえ以上私が述べてきたことが確かに肯(うな)ずかれたとしても、それで直ちに阿弥陀仏の存在が信ぜられたということになるかどうかである。古来の仏教徒が信じ且つ言い伝えてきたというだけのことを知ったところで、それは知識であり信仰ではない。仏があるということを聞いて知っているということと、現に私にとって私の救い手として仏があるということとは、同じでない。私にとって仏があるというのは、私に重大な関係を持つものとして、私に仏が見えだしたことを意味する。仏の願と仏の力とが私の心を動かしてきた時、その時、仏は歴史的客観的存在としての仏でなく、宗教的に私にとっての救い手として現われてくる。

我々は、とかく仏の存在について理論的に証明を求めようとする。そのようにして仏の存在が証明されたとしても、それは証明した自己を信ずるのであり、仏を信じたのではない。これに反して、仏を見出し仏によってのはたらきかけを身近に感じとったものには、もはや存在の証明は必要でない。存在を疑う者には証明が求められよう。けれども証明は仏を見出すために参考になるかも知れぬが、決して必須の鍵にはならぬ。何故ならば、仏の存在を疑って証明を必要とすることと、仏が見出されることとは、まったく次元が異るからである。

人間の力の限界において仏が見出される

ぜんたい、仏を見出すということは、人間の智がはたらく理論分別の世界においては全く不可能なことである。人間の力が限界に来てどうにもならぬ壁につき当った時、その時初めて、私の力の限界をしらしめるものとして、無限者の存在が身を以て感得せられる。こちらからはどうしてもつき破れぬところの壁が、彼方からの力によって取除かれていくのに気づくことであろう。それが仏の力というものであり、その時初めて仏が見出されたということになるのである。

我々は仏というと、通常、まず初めに身体的な姿を以ての存在を心の中に思い浮べ、その上で不思議な力をはたらかせる威徳を考える。しかし仏が本質的に我々に見出されてくるのは、どこまでもその形によってでなくその力においてである。人間というものの憐れむべきあさましい姿をしみじみと見つめさせ、しかもそれにも拘らずそうした人間を包んで、涅槃という自主自在の境地へひき上げようとしている力の存在することに気付いた時、それこそが仏を見出した最も確かな証拠と言ってよいであろう。自分が月に照されているのをみて、空高く月光がさえわたっているのに気付くようなものである。

我々は仏となることを願う。本来は仏を求める心など全く持たなかったのであるが、その私が仏を求めようと志すのは、仏によって仏の何であるかを知らされ、仏の力によって仏にさせようと願われているからであった。この意味において、仏と自分との間に距離をおいて傍観的に見ている限り、仏はいつまで経ってもついに見出される時がないと思われる。

三　教　法

釈尊は三十才で成道し、八十才で入滅されたと伝えられる。そうしてみると仏として五十年間説法せられたことになるが、その間人々に向って何を教え語られたことであろうか。個人的に対話の形で教えられたこともあろう。また人々を集めて集団的に語られたこともあろう。或は教養の高い人とその教養を手がかりとして議論せられたこともあろうし、日常の出来事を機縁として現実的な悩みに直面している人の相談相手となられたこともあろう。従って仏陀の教は極めて多様で巾の広いものであったに相違ない。だからそのように巾の広い教というものは、もし仮にそれが細大漏さず正確に記録されて今日伝わっていたとしても、今日の我々がその中から釈尊の教の根本的なものを正しく握みとることができたであろうか。それは大変むつかしいと言わねばならない。話というものは常に相手の性質や能力（それを機根という）を考慮し、その場合場合の情況（それを機縁という）に応じて適切な用意においてなされるものであるから、個々の場合の印象深い教訓だけが伝承されたとしても、その場合の仏陀の本意を汲みとることは決して容易ではないのである。こういうことを考えると、仏説と称される経典は今日非常に多く存在しているが、我々はそれらに対して、どのような見方をしたらよいのか。決して軽々しく受取ることができぬことになる。近来は聖典の成立史的研究が著しい進歩を遂げ、聖典の言語や翻訳の歴史に照し、また仏教以外の宗教や哲学との交渉を考えたり、政治や制度・文化・社会状態などの現われ方などを検討したりして、経典の中でも古い成立のものと新しい成立のものとがあって、どの経は何世紀頃に成立し、どの経とどの経との間ではどちらの方が古いとかいうようなことが研究され発表されるようになった。そこで最近では阿含経だとか南方のピルマ・セイロン等で読まれているニカーヤが概して古いから、そういう古い経典を規準として仏教を見るべきで、大乗経典などというものは南方仏教の中にはないし成立もニカーヤや阿含に比べて新しいから、第二義的意義しかないように考える人もある。

そのように古いということを標準にし、古い経典の中の最大公約数を求めて、そこから釈尊の根本義を見出すということは、確かに一つの見方であるが、私はそういう標準が絶対的なものでなく、その立場にはなお重大な見おとしがでてくることを注意しておきたい。

なぜならばどんなに古い経典だと言っても、釈尊の説法そのままの記録というものはなく、経典の形にまとまったのは少くも仏滅後三百年以上経過したものであって、古いとか新しいとかいうことは比較上の問題にすぎない。且つ古いということが、すべて根本的と見られる根拠になるかどうかということは、口誦伝承の経路を考えてみたならば、容易に理解されると思う。元来仏陀の説法はそれを聞いた人々が各自言い伝え聞き伝えてきたもので、それが後に団体の中で確認されてうけつがれ、終に文字に移されるようになったのであるが、そういう口誦伝承というものは、記憶し易い形に固定化するのを常とする。そのためには具体的実情をはなれて抽象的な形式にまとめることが必要となり、言い伝え語りつぐ人々の間で彼等の意見や解釈に従って削除したり増補することがないとは言えない。まして時と場合に応じて深い意図を以て説かれたその意図の如きが往々にして閑却され、表面的な誰にも判り易い内容だけが伝わるものだということは、我々の日常経験する所から推察しても容易に肯かれる所である。

大乗は仏陀の根本的立場を発揮しようとする　小乗とは貶称経律論の三蔵

以上述べたような事情を考慮すると、阿含やニカーヤの中には世間の常識に近い極めて日常的な教訓が多いのは当然である。もちろん仏の教の中にそのような日常的な教訓や常識に近いものもあって差支えなく、仏陀の教なるが故に高遠な哲学的なもののみというわけではないであろうが、しかし日常的な常識的な説のみだとして、仏説を自分の理解能力の限度だけで決めこむことはどうであろうか。

長い伝承の経過において仏陀の本意が失われ、仏陀の重点をおかれた主張が看過され、その結果別な意味での派生的な面が強調されるということはなかったか。考えてみれば決してそのような誤を人々が決して犯さなかったと言いきれるものではない。否そうした実例は色々の部面から読みとれるようになった。そこで仏の本来の意図をふりかえり、根本の立場に復帰しようとしたのが大乗という運動であって、大乗経典はそうした意図を以て編纂せられたのである。それ故、経典の形で出現した年代は阿含経等に比して新しいけれども、仏教の根本的立場を発揮するという見地からすれば、決して軽視できぬものであることを忘れてはならぬ。大乗の側からは、従来の形式に陥り表面的にのみものを見る嫌いのある教団を小乗とけなし呼んだ。それで古来、阿含経などは小乗経典であり、般若・華厳・法華・維摩・勝鬘・涅槃等の経は大乗経典であると言われているが、成立がおそいにも拘らず大乗経典が古来重視されたのは決して偶然ではなかったのである。経典を解釈したり、また仏教の教義上の諸問題を研究した印度での著述を論といい、論は大乗系からも小乗系からも盛んに作られたので、仏陀が弟子たちに向って日常における団体生活の規律を定め非行を制止せられた律と並んで、これらの経と律と論とを合せて三蔵といい、この三蔵が仏教聖典の根本となることになったのである。

仏教の基本思想　その一　―縁起―

さて以上の如く仏教の聖典は甚だ尨大であり、内容は頗る多岐に亘るが、仏教思想の基本となる一貫した立場は何であるか。そうした基本の思想があるに相違ないからそれは一体何であろうかと考えてみるに、それは大小乗の経論の上に通じて現われている所の、縁起という道理と四諦という説法形式であるということが一般に認められている。大乗小乗のすべての教義も、中国や日本で起った多くの仏教宗派もみなこの縁起と四諦ということを基本においている。縁起ということは一口にいえば、人生におけるあらゆるものごとは、どんなものでも初から単独にそれ自身で存在するというものはなく、必ず他のものとの相互関係に於てのみ生滅し、存在するということである。これは釈尊が成道せられた場合の思惟内容であったと称せられ、そのために縁覚というような言葉も起ってくるのであり、色々の角度からこの縁起の意義が研究せられた。人間存在の根源をつきとめようとして十二縁起説が構成せられ、その他、業感縁起・如来蔵縁起・阿頼耶識縁起などという多くの精密な思索がこれをめぐって発展した。今それらを一々ここに紹介することはできぬが、ともかく縁によって生じ縁によって滅するということは、人間が自己をふりかえって苦悩を感ずる時、そこにそのような苦悩を起させる原因があることを承認せねばならぬことになるから、存在の現実を問題にする限り当然原因の追究を要求することになる。既にして苦悩の原因が追究されたならば、苦悩のない生活を求めるに当ってもその原因が求められねばならずまた求められ得るという道理も明らかとなってくる。このようにして縁起を知らぬ間は人生の一切を何か超人的な力によって左右せられるという運命論に陥ったり、または人生のすべては偶然であって何等筋の通った法則はないということになり、運命論にしても偶然論にしても、人間が自分の行為に責任を感ずることをしなかったのである、ところが縁起ということになると、現在における一言一行、否瞬間的な心の動きさえも、自分の未来に影響し苦楽一切のよって分れる分岐点となるのであるから、決して今すぐの一瞬間でも軽々しい振舞はできぬのである。

　縁起ということがこのように一切の固定独存的存在を否定する立場である以上、人生はあらゆる差別の事象から成立っているけれども、その差別というものも絶対的でないことがわかる。絶対に動かすことのできぬ悪人もなければ、絶対に危うげのない善人という者もないことになり、人が善を行うも悪を行うも縁によるのであり、縁によって全く異ってその反対の結果を招くことにもなる。そのような意味からすれば差別は差別として存在しながらその差別が絶対的でないということになるから、我々は何事においても固定的な見方をしてはならぬのである。固定した見方をするというのは、別の言葉でいえばとらわれるとか執着するとかいうことであり、ともかくそういう見方はものごとをありのままの相(すがた)で見ず、ゆがめて見るのであるから、そこからは正しい智慧は起らず、従って正しい智慧に伴う心の安らぎも起って来るはずはない。かようなわけで縁起ということは一切の固定的存在の否定であり、また固定観念の排除という実践に結びつくのであって、この固定的存在の否定を空といい、固定観の排除、すなわちとらわれた見方から脱却する実践を空観という。

仏教の基本思想　その二　―四諦―　a 苦とその原因

さて縁起についてはそれまでにして、四諦の方を見ると、四諦とは四つの真実ということであって、その四つの真実とは、第一に人生は苦なりということが真実であって、これを苦の真実すなわち苦諦といい、第二にはその人生の苦は飽くことのない愛執という煩悩が原因であって、それが真実だという意味でこれを苦集諦または略して集諦という。集諦の集というのは集め起すものということでつまり原因という意味である。第三にはその愛執が絶滅し従って苦というものが滅し尽したのが理想の境地であるという真実であって、これを滅諦といい、第四にはこのような苦滅の境地に達するためには八つの正しい修行道によらねばならぬという真実であって、これを道諦という。滅諦は正しくは苦滅諦といい、道諦は正しくは苦滅道諦というべきであるが、通常はこれを略して苦諦・集諦・滅諦・道諦といい、また一括して苦集滅道の四諦などともいう。

今この四諦の説を考えてみるに、初めの苦諦において人生は苦なりというが、これが四諦の中での第一にあるということは、仏教というものは実にこの人生は苦なりという事実の明確な認識から始まることを示していると思われる。人生が苦であるかどうか、我々はそれをつきつめて考えてみたことがない。漠然と苦楽相半ばするぐらいに考えていて、何かの事件につまずいてひどく煩悶することもあるが、そうかと思うとひどく有頂天になって世の中は自分一人のためにあるように浮き立つこともある。しかし実際はどうなのか。人間は真面目に考えれば考える程、どうにもならぬ苦悩にとりまかれているのに気付くのであって、楽しいと思う時は苦しみを忘れ、自分で自分をごまかしているだけのことであり、決して苦しみが消失したのではない。ある所の楽しみは相対的なものであり、より大きい苦しみに比して感じ方の少い時それを楽しみというだけのことであって、その楽しみは苦しみの原因となる楽しみである。生きる者にとって、貧困は苦しい。人間関係の円滑を欠くことも苦しい。愛情が満たされぬことは多く、とりわけ病気や老衰によって生命がおびやかされるということは、死に直面せぬ前から絶えず人間に不安を与えている。こういう不安苦悩を我々は如何にして取除くことができるであろうか。人は仏教を厭世思想といい、不必要にも強いて厭世的にさせるものだというかも知れぬ。しかしそれは免れることのできぬ事実であるから、苦悩は忘れようと努めることによって解消し得るものではない。いやでもおうでも、事実は事実として認めねばならぬ。事実の正視なくして、苦悩からの解脱はあり得ない。

さて人生の苦が避け難い事実だとしたならば、今度はその原因をさがし求めねばならぬ。釈尊は縁起の理によって、苦のある所には必ず苦の原因がなければならぬとし、それをつきとめようとせられた。かくて求め得られたものが愛執の煩悩であった。苦は他人によって与えられたものではない。偶然から起ったものでもない。実に人間が意識すると否とに拘らず本質的に自己本位の考えを持ち、そのために自己及び自己のものという根本的な意識(これを我見及び我所見という)を潜在させているので、それが日常生活の中に絶えず自己を苦しめる煩悩となって現われるのである。このように人生の苦が自己の内に本来持っている所の愛執煩悩によるものであるということは、仲々気付かれるものではない。人は多く周囲の人や社会の制度などに責任ありとして、他人を責めたり不平を言ったりして、自己自身の中に原因があるなどとは考えもしない。たとえそれを教えられても、それが心から肯かれるということは容易なことではない。理論上は百も承知しておりながら、まじめに努めれば努める程自分の心が自分でどうにもならぬのに気づく。ここに道理に暗い惑(これを見惑という)はいざわかったとなればこれを打ち破ることがさほど困難ではないが、情意的本能的な惑(これを思惑という)は道理が判かった上でも容易なことでは断ちきれないということが言われる所以である。しかし何れにもせよ人生の苦ということと、それの原因が己の内にあるということとが、仏教におけるあらゆる教説の基礎になるものであるから、苦の研究と煩悩の研究とは、古来諸の学者により精細を極めて進められたのであり、宗派の如何を問わず、もしもこれを出発点にせぬものがあったとしたならばそれは仏教ではないと言ってよいのである。

さて苦諦と集諦が人生における苦しみとその原因であるとしたならば、次にそうした苦しみのない境地が当然理想として願われ、その境地に至るための道が示されねばならぬことになる。苦しみのない境地、それは当然その苦の原因である煩悩もない境地であるはずであるが、それを仏教では涅槃という。泥洹（ないおん）という字をあてることもあるが、その意味は滅とか滅度という意味である。釈尊は成道の時にこの涅槃に到達せられた。釈尊の教というものも実に釈尊が自ら到達せられたその涅槃の境地へ、全人類を一人残らず到達させたいという願を以てなされたのであり、涅槃こそは仏教徒を挙げての最高の目的理想であると言わねばならぬ。仏というのは涅槃の完成した方であり、従って禅宗の人が坐禅をし、日蓮宗の人が題目を唱え、浄土教の人が念仏して浄土往生を願うのもすべてこれ涅槃を得るためである。涅槃がそのように重大なものであるとすれば、これを明らかにすることが最大の課題となる。涅槃の境地が実際に於てはどのようなものであるか、古来インド・中国・日本に亘ってあらゆる開明がなされてきた。中には仏陀は成道の時に煩悩をなくして涅槃を得られたがその時は未だ肉体が残っていたからこれを有余涅槃といい、八十才で亡くなられた時身心共に滅無に帰せられたのでこれを無余涅槃というと解釈し、無余涅槃の時を以て涅槃の完成とみる人々があった。これはインドでかなり有力な団体の人々がこの説をとったので、そういう考え方が非常に普及し、終に釈尊がおかくれになるのを涅槃に入られたといい、中国の言葉になおして入滅などともいうようになった。それは無余涅槃に入られたという意味でいったものである。しかし涅槃というものは、本来成道の時における煩悩を滅した仏の寂静安穏の境地を指して涅槃と言ったものであるから、このように有余涅槃・無余涅槃というような分け方はよろしくないというので、更に徹底した真相究明がなされた。多くの経や論の上にそれが見られるが、中でも特に重要なのは大般涅槃経の説であって、この経は釈尊の入滅直前の時、クシナガラの沙羅双樹の下での説法となっており、その中で真の涅槃は常・楽・我・浄の徳を具えるものであるから、そのような大涅槃にある仏には死を意味する入滅ということは全くないのであり、それ故に如来は永遠不滅（常住）であるといわれている。前の有余涅槃・無余涅槃という説からすれば、涅槃の境地が消極的に示され活動停止の方向に向っていたが、今涅槃経に示される所によれば、法身と般若と解脱との三者一体の上に成立つもので、すなわち、真理（法身）とそれを証る智慧般若とその証りに基く自在なるはたらき（解脱）との三つの徳が不可分の関係を以て結びついているものである。故にこの三徳を内容とする大涅槃はそれが仏の本質をなすものである以上、真の仏が無常な肉体を越えた不滅普遍のものであることはもちろんで、最も救い難い人々を救うためには病気や死ということをも示現する。そしてその仏の本質をなす大涅槃は何人にも具わっている（悉有仏性）というのであるが、人々は煩悩のためにそれに気づかないでいる。特にそういうことを信じようとせぬ者は一闡提と称して、全く度し難いのであるが、大涅槃のはたらきはそのような者をも見捨てることなくあらゆる方法を以て教え導くから、一闡提も終には成仏するという。これが如来常住、悉有仏性、闡提成仏という有名な説で、涅槃に関する説はその他の諸経論にも詳しいが、涅槃の境地を積極的に自在なる活動の根源として明確にうちだしている点で、涅槃経の説は特に重要である。親鸞聖人の教行信証の中の証巻は専らその大涅槃の境地を明らかにしたものである。

次にそのような涅槃の理想が確立されたならば、今度は当然如何にしてそこへ到達できるかということが問題になる。ここで阿含経などには、その道を八正道といい、正見・正思惟・正語・正業・正命・正精進・正念・正定の八項目を説いている。これは結局において正しい見解を持つことが第一であって、思惟も言語も行為もそこに立脚し、生活も努力も念願も宗教生活も皆これに基いてなさねばならぬというのである。そうするとその正見すなわち正しい見解が如何なるものであるかということになるが、それは本能に身を委ねるのでもなく、そうかといって徒らに身を苦しめるのでもなく、その両極端をはなれた中道であり、すなわち心を静める定によって智慧を得、その智慧に従ってものごとをあるがままのすがたに於て正しく把握してゆくのが正見なのである。ものごとをあるがままの相(すがた)で正しく把握するというのは、言いかえれば自分の生き方を正しく見つめ赤裸々なる自己の姿に目ざめることである。ここに仏教が自覚の宗教と言われる所以がある。しかしそう言われても、そうした正見はどうして得られるか、それを得るためにはどのような課程を経なければならぬのか、それが仏教徒にとっての大問題となる。そこで色々の修行の方法が説かれ、小乗の方では三十七道品というような項目がまとめられ、また人の体は不浄だから愛着すべきでないことを知るために、屍体の腐敗する過程を観察する不浄観や、心の落ち着かぬのを静めるために、自分の呼吸を数える数息観(すそくかん)なども行われた。大乗では、十波羅蜜（布施・持戒・忍辱(にんにく)・精進(しょうじん)・禅定(ぜんじょう)・般若(はんにゃ)・方便・願・力・智）に従って修行する時、そこに自ずから段階ができるとし、菩薩の十地などということが詳細に説かれるようになった。仏陀の成道が縁起を根幹とするものであったということから、その正見は縁起の深い意味を体得することであり、また縁起は結局において空を意味するから、空というものの構造を分析して、それの全体的把握を求めるなど、もろもろの研究がなされた。古来よく言われる縁起論とか実相論とかいうのは要するに、涅槃への道を明らかにしようとする場合の重点の相違と言ってよい。

種々なる道とそれに対する体系的理解

仏教は仏を求めることを教えるものであるから、仏を求める求め方、すなわち道諦というものの究明に最大の努力が払われ、徹底的思索が向けられるべきは当然である。ゆえに天台宗の如く止観（思を止めて心を一点に集中するのが止、それによって正しい智慧を起し対象をありのままに見るのが観）を説くもの、真言宗の如く三密加持（深遠な仏の身口意業が人々の上にはたらきかけるのを加といい、人々がそれを受けいれて保持してゆくのを持という。身に印を結び、口に真言を誦し、意に本尊を観ずる、この衆生の三密によって仏の三密が加わりそれにすくわれまもられてゆく）を教えるもの、禅宗の如く坐禅見性（坐って心をしずめ自己の本質を見きはめる）を勧めるもの、浄土宗や真宗の如く念仏往生（仏の本願を信じ本願にかなった称名念仏によって浄土へ往生しそこで仏になる）を信ずるもの、日蓮宗の如く唱題成仏（法華経の題名を口にとなえることによって仏となる）を主張するものなど、古来の諸師はみな苦心して成仏への道を探し求めてこられたのであった。

根本となるのは何と言っても経典であるが、経典の数は甚だ多い。阿弥陀経のように短い一巻の経もあれば、大般若波羅蜜多経のように六百巻という長い経もある。内容に至っては夫々の経の間に相違があるだけでなく、同じ一経の中でも、前の方と後とでは矛盾があるように思われたり、余りに多岐多端にわたっているため主張の主眼が何処にあるのか困惑させられる場合が少なくない。古来中国や日本で最も多く尊重された特に有名な経典だけを挙げてみても、般若経は空無所得（ものごとにとらわれない）ということを繰り返し操り返し強調しているし、維摩経はそういう空無所得を体得すれば不可思議解脱（自由自在の自主的活動）が得られるということを巧みな文学的構想の上に力説している。華厳経では仏の覚りの境地たる宇宙の大真理は縁起であるからそれを無限雄大な観点から考察しようとしているし、法華経は仏の願はあらゆる人を自らと同じ覚りに入らせるにあるから教は表面上種々の不同があっても終局的には一つであるという。また涅槃経は前にも触れたように、仏の大涅槃とは如何なるものであるかを開明し、それを得ることはすべての人に認められていることを懇々と述べている。また無量寿経と観無量寿経と阿弥陀経は、共に阿弥陀仏の住せられる極楽浄土へ往生することを勧めているから、合せて通常は浄土三部経と称せられるが、注意してみるとこれら三経相互の中にもかなり大きな説き方の不同が認められる。すなわち善を積んで生まれるという経、念仏をはげんで生まれるという経、仏の本願を信じて生まれるという経、というように表面上から見ると必ずしも一致していない。

このように、経典が多く、経典個々の内容が複雑で、しかもその一経一経の中心思想を見出すことすら容易でないとすれば、仏教を単に知識学問として学ぶ限りはいかにも楽しく興味深いことと言えようが、現実に自分自身が仏説の真意をさぐってひたすらそれに従ってゆこうと考えるならば、その念が強ければ強い程苦悶は深くならざるを得ない。仏教の学問というのは、実は文字や理論を知ることにあったのではなく、自分の進むべき道を見究める点にあったのであるが、さて我々はどのようにしてこの問題を解決したらよいであろうか。

教相判釈　仏の出世本懐　天台宗の五時八教

そこでこの場合、如何なる道を選ぶべきかについて、何等かの標準を得たいのであるが、その標準はどこに置いたらよいか。その標準は仏陀が教を説かれた終局目的は何かという所に求められるべきではなかろうか。仏教の多くの異説を統一的に領受するため、古来の高僧は皆苦心せられたので、諸経論の異説を統一し体系的に理解しようとする努力（これを教相判釈という）は学者の最大の関心事であった。そして長年に亘って多くの説が提起せられた。その中で何としても最も基本的標準となるものは、やはり仏陀の教化目的は何かということでなければなるまい。それは専門の術語で、如来の出世本懐と言われる。中国の天台大師（智顗 538—597）は、法華経の中に如来の出世本懐が明かされているのに着眼した。法華経によれば、仏教を学んでも、仏となれる者（菩薩）と仏にはなれぬ者（二乗）とがあるという差別の説が、仏の教の中にないではないが（三乗差別）、仏の出世本懐はすべての人々を誘導し教化して、みな同じ仏のさとりに到達させることを目的とするものであるから、従ってそのような差別の説は誘導の手段として用いたものに過ぎず（三乗方便）、終局的にはすべてが同一の仏になるのであると主張して、一乗ということを力説している（一乗真実）。そこで天台大師は、この一乗という見地から一切の経説を整理し体系づけた。その組織が、通常、五時八教の教判と言われるものである。それは説法の仕方形式（化儀という）を四種に分け、説法の内容となる所のものの考え方（化法という）を四種に分け、この両方の形式と内容を巧みに組合せることにより仏陀の説は五段階（華厳時・阿含時・方等時・般若時・法華涅槃時）を経てなされたと見、これを五時と称するのである。これはまことに巧妙なそしてまた深い洞察に基づく勝れた説であった。比叡山を中心とする日本の天台宗や、それから分れた日蓮宗は、最も多くその説に影響されている。

なおこの他に、禅宗では仏教を教宗と禅宗とに分け、真言宗では顕教と密教とに分け、浄土教では聖道門と浄土門とに分け、律宗では化教と制教とに分けるというように色々な分け方があるが、今はそれらを詳論することを省く。

覚りへの道は終局的に自己の力によって開かれると見るべきか

われわれは、仏教の中でどの道に従うべきかを考えるに当って、たまたま自分の家の宗派が何であるかというようなことで簡単に決めてしまうわけにはゆかぬ。どの道を選ぶかということは、どれでもよいからどれかの一つを取るというのでなく、自分の従い得る道はこれ以外にないという唯一つの道を見出し、それに自己の全生命を托するのであるから、古人の説は古人の説として学びながらも最後的に断を下すのは自分をおいて他になかろう。つまり自分が可能な多くの道の中から一つを選ぶというのではない。自分には此以外の道はあり得ないという最後的な道を見出さねばならぬのである。法華経によれば、すべての人を残らず仏にするのが仏陀の教の目的であったという。そしてその目的に照して、従来は一般に成仏できぬものとして斥けられてきた所の誤まった信仰のものも、終には仏の道を進むことになると言われている（二乗作仏（さぶつ））。天台大師が法華経と同等の尊さを見た涅槃経によれば、仏の教を拒否して信じようとしなかったもの、すなわち一闡提（いっせんだい）さえも、仏はこれを見捨てることがないから、このようなものもみな仏になることができると言われている(闡提成仏)。そうしてみると、仏の慈悲は、すべての人が各自に努力して善根を積むことを条件にして救おうとせられるのだという見方は根本的に考えなおしてみる必要があるのではなかろうか。われわれは四諦の教にある通り、自らの煩悩によって自らを苦しめている。それ故その煩悩を断ちきらねばならんのだが、果してそれができるかどうか。真剣になって自分を見つめれば見つめる程、そうした煩悩からの解脱が全く絶望の外ないことに気づく。それではもはや仏となることは断念しなければならぬことになる。

そこでもう一度法華経や涅槃経を読んでみると、これらの経では誤まった信仰の者が正しい道に入るのも、元々信仰を拒んでいたものが信ずるようになるのも、すべては仏の慈悲方便に基くものであって、二乗や一闡提自身の力によるものではないと言われている。それはつまり人々が仏になるのは仏の威神力・願力によるものであって、修行者の力によるのでないことをこれらの経では示されているのであった。既にして成仏が仏力によるものであり行者の自力によるのでないとすれば、その仏力を根本から説き示した経があって、その仏力に対し人々がとるべき態度をも明らかにした説があるのではなかろうか。法華経を正依(しょうえ)の経とする比叡山において、天台宗の学問をした親鸞聖人はこうした疑問を持って、黒谷に法然上人を訪ねられた。そうして正しく、仏の願と力を信じ念仏して浄土に往生したいと願うことのみが仏の本願にかなうのであるから、人々は本願の不思議によって浄土に往生し、浄土に往生した時直ちに仏の覚り、大涅槃を証するのであるという信に到達された。それは無量寿経に説き示されているので、親鸞聖人は結局、法華経から進んで無量寿経に最後の安心を得られたことになる。

まことに滅諦の大涅槃を証するための道諦は、人々をして自ら切り開いて到達させようというのではなかった。邪正のけじめもつきかねるわれわれは自己がそのようなものであるということに衷心より目覚め、しかもそうした自己を包み護る力(仏)のあることに気づいて、ひたすらそうした根本の仏の願力を信じ、その力に随順し乗托して浄土に往生し成仏することを願う外ないのである。

四　僧伽

仏陀も僧伽の一員

僧という言葉は、今日では男子で出家した個々の人を指していう場合に用いられ、女子で出家した人は尼僧又は単に尼(あま)さんと言っているが、これは元来仏教の教団全体を指して僧伽(そうぎゃ)と言ったその僧伽という言葉が略して僧といわれるようになり、そして日本では団体でなくて個人の一人一人をも僧と呼ぶようになったのである。僧伽とは和合という意味で、信仰を同じうするものが集まって一体になっているのを僧伽といった。釈尊が菩提樹の下に坐って覚りを開かれた時には、まだ僧伽はなかった。鹿野苑(ろくやおん)へ行って五人の友に法を説かれ、その五人が仏の教に従って弟子となった時、その時初めて僧伽ができたのである。しかし弟子ということと僧伽ということとは意味が同じでない。弟子と言えば師である世尊は入らぬけれども、僧伽と言えば世尊も僧伽の一員であった。仏陀は僧伽の中で指導者であり、また上首であったから、その点では他の構成員と同等ではないけれども、しかし仏陀は決して支配者ではなかった。比丘たちと一緒に共同生活をしておられたのであり、重要な事項はすべて僧伽全体の会議にかけて議決せられ、世尊が単独に処分せられるということはなかった。信者から供養を受けた時も、世尊は僧伽の一員として他の者と同じものを一人分だけ分配せられたのであった。世尊は僧伽を重んじ、決して自分だけを特別の地位におこうとはせられなかった。世尊の養母であった憍曇弥(きょうどんみ)という方がまだ出家せられる前に、新しい衣を世尊に献上しようとした。その時、世尊は、自分に受けとらず、それを僧伽に施せ、そうすれば結局において自分にも施されたことになると言って、教団全体への供養を勧めておられるのである。

僧伽は何故に尊敬されるべきか

今日どうかすると、三宝の中で、仏と法との尊ぶべきことはもとより異論がないけれども、僧侶個人にしてもまた教団全体にしても、自分はそれを敬う気持になれぬという人がある。これはとかく純粋性を失い勝ちな教団の実態を見る時、いかにも無理からぬように思われるけれども、世尊までが、世尊に対してよりも僧伽への供養を勧められたという事実に立って、我々はその意味を一度よく考えてみなければならぬと思う。仏陀在世当時であっても、お弟子の中にはまちがいを起すものがないではなかった。そのために世間から色々と批判された例も少なくない。過を犯した後に懺悔して教団の中にいることは許されたけれども、それでもしばしば過失を繰り返して多くの道友に度々迷惑をかけている者があった。律蔵の中にはそうした事例が数多く見出される。事実はそのようであった。それにも拘らず、世尊は平等に僧伽の全員を供養するように訓示しておられるが、それは何故であろうか。

思うに、僧伽が敬われるべきだという意味は、僧伽を僧伽として一体に結束せしめているその教法尊重の精神が尊いからではなかろうか。僧伽は教法尊重の精神を以て結合しているのであり、それ以外に単に利益を共同にする物質的目的のみによって結ばれているのではないのである。教法は仏陀によって説示されるけれども、仏陀さえも法を支配し自由にする意志は毛頭なく、法に随順し法を尊重しておられる。もしそうであるとするならば、僧伽の結合原理である教法尊重の精神の存する所、仏であろうと仏弟子であろうと、平等に尊敬せられねばならぬのであって、仏陀の教法は僧伽を通してのみ具現せられるが故に僧伽の存在を外にしては仏教の社会的意義は全く成立たぬことを忘れてはならない。僧伽なくして仏教は成立たぬ。信を同じうするものの和合団体は、それが仏国浄土となるのであり、もし仏の教を信ずる者が相互に孤立して独善的になり、同じ信仰の喜びを感じて結束することができぬとしたならば、そのような信仰は信仰そのものが既に正常でないと言ってよいであろう。法は信仰となって初めて具体的になり、その信仰はまた信仰一味の団体を通してのみその法の普遍性を現実化したものとなるからである。

僧伽の中における仏の地位

それならば仏も僧伽の中の一員である以上、三宝帰依といって仏を僧の外に別に立てる必要がないではないか、という疑問が生ずるかも知れぬ。そこで一往この点を説明しておこう。仏も僧伽の中の一員であったと言っても、仏と僧伽との関係は他の人々と僧伽との関係と同一ではない。仏は僧伽内にあって上首であり師であって、他はその弟子である。僧伽成立は、仏及び仏の説かれた法を必須の要件とするけれども、仏以外の弟子はどんなに集まっても、それだけでは僧伽は成立しないのである。そういう意味から仏と僧とは区別さるべきであって、極楽浄土へ往生すれば往生人も阿弥陀仏と同じ覚りを得るのであるが、しかし浄土を建立したのは阿弥陀仏であって往生人ではないから、阿弥陀仏という仏を別にとり立てて帰依されるのと同じである。仏陀は釈迦仏の如く入滅されて世に在(い)まさぬこともあるが、僧は仏滅後に存続するから、それ故仏を僧から別出するのだという説もあるようだけれども、私はその説に賛成しない。

浄土教における念仏と三宝帰依

なおここで三宝帰依が仏教の根本だと言いながら、浄土教では南無阿弥陀仏と言って仏には帰依するが、それでは浄土教は法の帰依と僧の帰依とを欠くではないか、という疑問があるかも知れぬから、その点について一言したい。

初に仏に対する帰依について言うに、一般には帰依仏と言えば釈迦仏に帰依するものと解されるのに対し、浄土教では阿弥陀仏に帰依するから、それは教主釈尊を無視するものではないかとの非難も聞くが、前にも述べたように阿弥陀仏は釈迦仏の根本であり、釈迦仏とは阿弥陀仏の本願を説くために出現されたのであるから、釈迦仏への帰依は終局的には阿弥陀仏への帰依とならねばならぬ。またそうなった時に初めて徹底すると言ってよい。

次に法に対する帰依について言えば、法は一般に釈迦の教法と考えられているが、釈迦の教法は阿弥陀仏の本願を説く以外に別な内容があったであろうか。多くの浄土教以外の教も、実は浄土教へ誘引する方便に外ならぬのであって、初から浄土の教を説いても領受しようとせぬ者のために、暫く世俗にも理解し易いような順応妥協的な説き方をせられたのが、いわゆる聖道門とか自力の教と言われるものなのである。ゆえに弥陀の本願に帰依することが、釈迦の教法に帰依する究極といわねばなるまい。

更に僧伽に対する帰依について言えば、浄土教徒は釈迦仏の僧に特別に帰依しないがこれはどうかという疑問に対して、私は次のように考えている。元来僧に帰依するというのは、一味同信の仏弟子団体の中に仏の正法が生きた形でゆきわたりはたらいているのであるから、自分もその中の一人となり得たことを喜び、またはそうした一人になりたいと願う情を表わすものである。然らば、我々が僧伽に帰依するというのは、僧伽の中にとかく過を犯すものもあるがお互に団結し協力しあうというように現実の教団を守るのも、その本意は、僧伽の理想的な相を渇仰し現在の自己を含めた現実の教団をその理想的な相の僧伽へ近づけようとするために外ならない。曇鸞大師（中国の人、六世紀前半）は同一念仏にして別の道なきが故に浄土にあっては四海の内皆兄弟であると言っておられる。もしそうならば、極楽の聖衆を慕って自分も仏徳に生かされる極楽の聖衆の仲間入りをしたいと願う願生心、それが即ち僧伽に帰依することの最も純粋な形というべきではないか。阿弥陀経には極楽の聖衆と倶に一処に集まっていたいと願う者は浄土往生を願えとあるが、浄土往生はこの倶会一処（くえいっしょ）に外ならぬから、願生浄土の思の中に僧伽帰依はすでにおのずから包含せられているのである。

勝鬘経（しょうまんぎょう）の中に、法に帰依することと僧に帰依することとこの二つの帰依は、夫々単独に意味があるのではなく、法に帰依することは如来に帰依することであり、僧に帰依することも如来に帰依することである。故に如来に帰依すればおのずから三宝に帰依することがその中に収まっていると説かれている。確かに本願を外にして如来は考えられず、また本願の成就せられた場所を外にして本願の主たる如来を考えることはできぬから、如来すなわち仏に帰依する限りそこには必然、法と僧とへの帰依が自然に含まれてくるのであって、如来への帰依に法と僧とへの帰依が収まることは疑ない。ここに浄土教徒が三宝帰依を別々に表明しなくても、南無阿弥陀仏と帰依仏する所に、帰依法と帰依僧の実が十分籠められていることを知らねばならぬのである。

理想的僧伽と現実的僧伽

浄土は三宝の完全なる相を具現した世界である。浄土への往生を願うというのは、仏の国の人として理想的な僧伽の一員となりたいと願うことであって、極楽には声聞（しょうもん）が無数にいるということが言われているが、この場合、声聞とは仏の法を聞いて信じ順う者の意味である。大乗の菩薩と区別せられる小乗人のことを言うのではない。極楽に生まれた者はみな直ちに大涅槃を証するので、この世にありながら信心によって往生の決定した者は、必ず大涅槃(滅度)を証することが約束される。だからこれを必至滅度というのであり、必ず滅度に至るということは成仏ということに外ならぬから、浄土に在っての僧伽というのは、結局、阿弥陀仏の力によってみな仏行菩薩行を行ずるもののみの世界ということになる。この世において往生を願う行人の団体、すなわち現実の僧伽は、そうした理想の僧伽を慕い求める者の集まりということにおいて、初めて意義あるものであることを忘れてはなるまい。現実の僧伽は時として、過ちをおかしたり形だけの不信のものに堕するおそれがないとは言えぬ。しかしそれが理想の僧伽によって正され導かれてこそ、それはどこまでも僧伽として帰依される意義を持ってくるのである。また現実の僧伽をはなれそれなくしては、理想の僧伽も全く絵に画いた餅になると言って過言でなかろう。

現実僧伽の構成　比丘教団と比丘尼教団　受具足戒

以上は僧伽と仏との関係から進んで、浄土教の帰依仏は三宝帰依がおのずからその中に含まれていること及び理想の僧伽と現実の僧伽との関係等について述べたが、今一度もとに戻って、釈尊当時の教団すなわち現実の僧伽の構成について考えてみよう。

釈尊を中心とする仏教の出家教団は、比丘教団と比丘尼教団とから成り立っていた。比丘教団とは出家の男子の集まりであり、比丘尼教団は出家の女子の集まりである。今日日本では出家の男子を僧といい出家の女子を尼僧というが、本来は比丘及び比丘尼というべきで、尼僧の尼の字は比丘尼の尼の字であり、もとは女性であることを示す梵語の語尾であった。女子の法名に釈尼というのも、釈迦仏の弟子である女性という意味を表わしたものである。男子も女子も出家した当初は沙弥及び沙弥尼といって見習期間があり、満二十歳に達した時、厳粛な儀式を行って比丘・比丘尼となることができる。ただ女性の場合は沙弥尼から直ちに比丘尼とならず、その間に二年間特別学習の段階があって、その間の地位を式叉摩那（学法女）という。沙弥・沙弥尼は十戒を守らねばならず、式叉摩那は更にその上に六法の習学が課せられる。そして比丘は二百五十戒、比丘尼は三百四十八戒の戒を守らねばならぬ。それを具足戒といい、それらの戒を終身守ることを堅く誓った時、一人前の比丘及び比丘尼たる資格を得るのであるから、このように厳粛な式によって比丘・比丘尼となることを具足戒を受けるといい、略して受具ともいう。具足戒を受けて比丘・比丘尼となることはどんな階級の人にも平等に解放せられていた。たとえ出身の階級が高くても低くても、一たん比丘・比丘尼として教団の一員になってしまえば、何等の差別も受けることはない。

ただ秩序として席次を立てる時には具足戒を受けて以後の年数（これを法臘（ほうろう）という）の多少によるだけであった。一たん比丘・比丘尼となれば夫々比丘僧伽・比丘尼僧伽に所属して別々の団体生活をすることになり、その身分は一生保持される。

戒律　波羅夷罪　随犯随制　止持戒と作持戒

ただ男子で言えば、性交と殺人と竊盗（五銭以上）と及び自ら真の覚りを得ていないのに他人にそのような覚りを得ていると信じさせる行為（大妄語）の、この四つだけは最も重い罪であるから、この中のどの一つを犯した時でも教団から追放せられる。それを波羅夷罪（はらいざい）という。男子は波羅夷罪となるものが四ヵ条であるのに対し、女子の場合には波羅夷罪となるものが八ヵ条ある。

このように追放処分に該当する重罪の外に罪の軽重で処罰の程度も異る夫々の規定があって、衣食住に関係する日常生活全般に亘って世人の批判を受けたり、自己の修養の障害となるような言行に対し詳細な注意が払われている。最も軽いものは今日の言葉でいうエチケットに当るようなものも含まれており、それは条文も多いので百衆学（しゅがく）といわれる。法律の刑法などと違って、律は最初からこれこれのことはしてならぬというように規定せられたものでなく、弟子たちの中で、よくない言行があった場合にそのつどそのつど世尊が比丘たちを集めて、そのような過失をくりかえさせないよう訓誡せられてできたものであり、これを随犯随制という。しかしこのように規則を制定することは多くのものが団体生活をする場合ぜひとも必要なことであって、その規則の中には、してはいけないという禁止的な規則と並んで同時に守らねばならぬという実行の規則とがあって、前者を止持戒、後者を作持戒という。例えば殺したり盗みをしたりしてはならぬというのが止持戒であり、布薩と言って半月毎に集まって反省会をする儀式や、安居と言って毎年一回雨の降る時期に三ヵ月間合宿して研究学習を行うが、そういう行事のことなどを規定したものは作持戒である。

出家者の衣　三衣　袈裟

一般に出家は衣食住においての愛着を捨てることが要求される。故に服装は三衣といって、一人について三種の着物を各一つづつ以上に持つことは禁ぜられておって、それ以上に持つ場合には教団に没収される。その三種の着物というのは布の巾によって名称が異り、最も簡単なものは安陀会といって五条より成り、これは不断着である。次は欝多羅僧といって七条より成り、礼拝や会議等の時に着用する。最も大きいものは僧伽梨と言って九条乃至二十五条より成り、これは街を歩く時や王宮へ行く時に用いるものである。いずれも布をつぎ合せて作ったもので、ほんらいは捨てられているボロ布を拾って作った衣すなわち糞掃衣(ふんぞうえ)を正規の衣とするのであるから、たとえ新しい布で作ってもその精神を残して必ず田のあぜのように綴り合せて一枚の着物に仕立てあげるのである。そして色は原色を避けて灰のようなくすんだ色に染めて用いねばならぬので、出家の着物を通常袈裟(けさ)というが、袈裟というのは印度の言葉で〝濁り〟という意味であり、つまり濁った色に染めた着物でなければ着用しないので、これを袈裟と呼んだのである。今日日本の僧侶は、袈裟の下に衣(ころも)を着、衣の下に白衣(はくえ)を着るけれども、がんらいは袈裟と下衣だけを着るのであり、ころもは昔の中国で一般の人がきた服装であり、白衣は日本のものである。日本の仏教が印度・中国・日本の集積であることが、服装の上にも現われている。

出家者の食　乞食　一鉢　過中食　三種浄肉と断肉

次に衣食住の中の食すなわち食べもののことについて言うならば、出家は生産に従事せず金銭の所持も認められていないから、日常の食生活はどうしても信者の布施にまたねばならない。それ故各自一つづつは持たねばならぬ鉢を持って、毎日信者に食物を乞わねばならない。男子の出家を比丘というが、比丘というのは、乞士(こつし)と訳され、乞食によって生活する修行者という意味である。その食事は一日一度正午に限られていて、正午を過ぎて後の食事はこれを過中食と称して許されない。すなわち正午以後は水以外一切の食べものをとることを禁ぜられていた。これは熱帯国での衛生的理由にもよるのであるが、今日禅宗などで、夕食のことを薬石というのは、あれは正式の食事でなく病気の時の薬として服用するという意味によるのである。

なお托鉢して乞食するのであるから、時には肉類を供せられることもあった。そういう場合、自分に供するために作られた肉であることを現に見たり、聞いたり、またはその疑がある場合は除き、その三種に該当せぬ場合はこれを三種浄肉と言って、そういうものは布施された場合受けてもよいことになっていた。それでは我々はよく精進といって肉を食べないことを仏教徒の重要なおきてのように言いならわしているが、それはどうしてかというと、それは律の中には出ていないが、涅槃経や楞伽経などの中に強く戒められている所だからである。その理由は大乗の菩薩道を学ぶ者は慈悲を宗としなければならぬからであり、およそ肉と称せられるもので生命あるものの肉でないものはない。生きとし生ける者みな自分の生命を惜しまぬものはないのに、その生命を絶って肉を食うとすれば、これは全く慈悲の精神に反するものと言わねばならぬ。そこで乞食して生活する以上、絶対に肉をとらぬと言えば時に絶食の危険もあるため、三種浄肉と言う制限以外のものについてはこれを認めたのであったが、すでに三種の浄肉という制限外を認める所でも知られるように、ほんらい肉をとることは好ましくないという意味が元々あったのである。そこで慈悲を重んずる大乗では例外なく一切の肉食を不可としたのであり、もし信者から肉を施されたらそれは自分の子供の肉だと思うがよい、肉を食べるものは大慈の種を断つものであるから、ライオンに近づきライオンの臭がした時には誰でも恐れるように、肉を食べるものはあらゆる生物から恐れられると、そのように涅槃経には説かれているのである。肉食が不可だというのは慈悲の精神に立つものであることを忘れて、ただ形の上だけで守るならばそれをほんらいの意味ではない。ましてこれを精進ということは古来中国や日本で言いならわしているけれども、単に肉食せぬことだけが精進ではないのであって、精進とは悪をはなれて善に向うように努力するのをいうのであるから、こういう言い方は正しい意味では適当でないのである。

なお乞食は今日禅宗の僧などにより托鉢という形で残っているが、原始仏教の頃からでも托鉢ばかりでなく、信者から教団へ布施して持って来られる場合もあり、また招待されてゆくような場合もあった。教団へ布施された時には全部のものに分配され、招待を受ける場合には順次に交替で招かれるのである。

次に住居について言えば、出家たる者はもとより家庭をはなれて団体生活をするから、自分の家というようなものがあるわけではない。一般にインドでは仏教徒に限らず、宗教の修養として一定期間家を出て林の中に生活することが行われていた。これは暑い所であるから樹下に居住することがそれほど苦痛ではなかったであろう。石窟(せっくつ)などに坐って禅定(ぜんじょう)を修めるということも通常行われたようで、樹下石上ということは全然現実ばなれのしたことというのではなかった。しかし信者が教団に対して住居を布施するということは稀でなく、ために祇園精舎(ぎおんしょうじゃ)などという有名な住居もあったのであるが、いずれにもせよ住居もまた衣服や食物と同様、生命をまもるための必要限度内でこれを亨受すべきであり、それに愛着を持つて衣食住の豊かなことを望むのは道業を志すもののとる所ではなかった。出家が得度して僧伽の中へ入る時には剃髪する。今日でも得度の式には頭髪を剃るが、比丘はもちろん沙弥であっても出家したものは必ず剃髪するのであって、それは何故に剃髪するかと言えば、今日でも我々は頭髪を延してポマードなどつけるが、それは自分の身を飾り、人目によく見せようとするのである。インドでもそうであって、髪を伸ばすのは世間体をつくろう飾りの意味があるので、出家して専ら道を求めようとするものは、そのようなことに心を費すべきでないという意味から、仏教では剃髪したのである。よく絵画や彫刻で仏の弟子の相を見られる時、頭が剃られて丸いのを見られるであろう。それはこういう理由によるものである。我々は頭を剃って袈裟を着れば、それを出家であるというが、形の中にひそむ根本趣旨を忘れてはならぬ。そのように見てくると、形さえ守ればよいというのではないが、また形はどうでもよいということもできぬ。形を通して常に精神をふりかえることを忘れぬようにしたいものである。

在家の信者　優婆塞・優婆夷　五戒

仏陀に随侍して専ら出家者としての生活をする者の他に、仏陀にはまた在家のままで、すなわち妻子を擁し家業に従事しながら随時教を受ける所の信者があった。そういう信者の中で男性の者はこれを優婆塞（うばそく）（信士）といい、女性の者は優婆夷（うばい）（信女）と言った。優婆塞も優婆夷も在家者であるが、仏教徒である限り、必ず守らねばならぬ五つのおきてがあった。これを五戒という。五戒とは、生きものを殺さない（不殺生（ふせっしょう））、盗みをしない（不偸盗（ふちゅうとう））、不倫の関係を結ばない（不邪淫（ふじゃいん））、うそをつかない（不妄語（ふもうご））、酒を飲まない（不飲酒（ふおんじゅ））の五つであり、在家者さえこれだけは必ず守らねばならぬというのであるから、これは結局、仏教徒たるものの守るべき戒の最低限であると心得るべきものである。出家は淫行の一切を厳禁せられるが、在家者は夫妻の間を越えた場合にのみ禁ぜられ、出家者で覚っていないのに覚っていると信ぜしめた者は最も重い波羅夷罪として追放せられるが、在家者の場合の不妄語とはそうした覚りに関した事項でなくても、一切の妄語が仏教者にとって許されないという意味である。なお酒を飲むのが禁ぜられているのは、そのこと自体が他人に迷惑を及ぼす行為ではないけれども、飲酒によって精神の平静を乱し、着実な思惟が妨げられるのを警戒したためであった。出家者が般若湯などと称してひそかに飲用するのは、もとより律の認めぬ所。もしその本意を汲んだならば、今日禁ぜられるべきものがアルコール類以外にも少からずあることを知らねばならぬ。

仏教と女性　五障三従

インドは仏陀以前から今日に至るまで社会における階級差別の厳重な国で、最高は司祭者、次は政治家、次は庶民、次は奴隷というように、どんなに時代が変ってもその家系は変動することがなかった。しかし政治家の階級から出られた釈尊は、その教団の中のどの階級の者をも区別せずに収容し、出家前の地位階級は一切問題とされなかった。では男女の性別についてはどうであったろうか。

仏教についてはよく女性に五障三従の罪深きものということが言われる。従って仏教は男性に比して女性を差別視するという考え方が普及しているようである。五障とは、女性は、梵天・帝釈天・魔王・転輪聖王・仏身という五種の者に成ることができぬということであり、三従とは、女性は幼にして親に従い、嫁しては夫に従い、老いては子に従い、終生自主独立し得る時がないというのである。しかしこのようなことが、経典の中に往々説かれていることはあっても、女性はそうあるべきだとかそれが当然だという意味で説かれているのではない。否、むしろ世間ではそのように考えているけれども、実はそのような考え方は全然仏教のとらぬ所であるとしてそれを否定したり、また三従などというように人格無視の立場におかれている女性に同情をしているのである。仏典に述べられている文中でも、世俗の通念を紹介している場合と仏教の本旨を主張している場合とがあるから、両者を混同した議論は仏教を誤解させることを注意しなければならぬ。

ただしそうは言っても、歴史上の現実から言って、必ずしも男女平等とのみなっていなかった場合もあることを認めぬわけにはいかない。例えば、最初に比丘尼教団の成立に際してそれを許可することを釈尊が躊躇されたという話や、現に比丘尼の戒律には比丘にはない所の八敬法という規程や、比丘の具足戒が二百五十戒であるのに対し比丘尼には三百四十八戒ありというなど、かなり男性に比して不平等と思われる事情がないではなかった。しかしそれらは、最初比丘教団が成立し、しかもそれの方が数の上で遥かに多かったという点から、風紀のみだれるのを警戒し防禦せられたという配慮を忘れてはならず、女性は感情的でありまた身体的危険も多いので、そうした事態に対する好意からの警告も含まれていたことを知らねばならぬ。

仏陀だけでなく仏教徒全体（その中には女性も含む）が、女性の社会的低地位、生理的苦痛、性格的弱点に対して、深い同情と正しい自覚の要求を示していたことは疑なく、極端には女性を男子の玩弄（がんろう）物視するような時代にありながら、仏教経典が女性を男子に変化せしめることによって男女の不平等解消ということの表現を図っていることはまさしくその現われであった。正しく仏教の本意を発揮しようとした大乗経典の中で、どこに男女の差別観を主張したものがあろうか。法華経には畜生の娘である竜女や、仏の養母と仏のかっての妃であった人との二比丘尼に対して成仏の約束が説かれており、勝鬘経（しょうまんぎょう）では在家の女性である勝鬘夫人（しょうまんぶにん）が十大受・三大願という堅固な誓願を発しその結果終に仏となるということが明言されている。阿弥陀仏の浄土たる極楽には利己主義者や身体障害者や女性はいないと言われる。これもその意味は、女性が仏になれないという意味ではなく、世間から好ましからぬものとして見られ、また自らも哀れむべき状態にありと感ずるような存在は、理想の世界すなわち仏国にはないという意味であった。覚りの前には階級の差も、男女の性別も、更には智愚・老少・善悪の別も何等根本的な意味を持つものでないことが不動の原則であって、仏力はそうした一切の差別を越えるものであるからこそ無礙（むげ）自在者と言われるのである。

むすび

仏教の全体についてのあらましを語るということは、実に容易なことではない。それは単に釈尊の伝記や記録の紹介に終始してすむものでなく、仏教信仰の伝統をはなれては仏教の外貌すら十分伝えることができぬからである。今日釈尊の確実な言説を文献的に決定することが仮にできたとしても、古来インドでも中国でもまた日本でも仏教の名において伝承してきたものを、それが原始的記録でないとの理由によって排除することができるであろうか。釈迦教と言わないで仏教と称されてきたこの教は、釈尊の言説を通してその真意その奥意を究めつくしてきた人類の尊い遺産である。従ってその真意が何であるか、その奥義は何を狙っているか、そういうことを忘れていたずらに歴史的事実のみの詮索を事とするならば、それは仏教を文化史的に対象として研究する研究者ではあっても、仏の道を求めて自らもそれを追おうとする意味での仏学者とは言い得ない。そう考えると、私がここに披瀝した仏教のあらましは、虎を画いて狗に類するの喩も潜越であり、ひたすら慚愧の外はない。せめて求道に進もうとする人々に仏教の陰影なりと推察せられるよすがとなり得たならばこの上もない幸である。

要語の解説

三宝

〈仏教を三宝と称した例〉

一、篤く三宝を敬え。三宝とは仏・法・僧なり。（十七条憲法第二条）

二、（慧）遠声を抗げて曰く、「陛下（北周武帝）、今、王力自在を恃んで、三宝を破滅したもう。これ邪見の人なり。阿鼻地獄は貴賤を揀ばず」と。（続高僧伝巻八、慧遠伝）

三、歴代三宝紀十五巻　隋開皇十七年(597)、費長房撰

四、集神州三宝感通録三巻　唐麟徳元年(664)、道宣撰

五、三宝絵詞　日本永観二年(984)、源為憲撰

〈三帰依文〉

1、パーリ文 Buddhaṁ saraṇaṁ gacchāmi. Dhammaṁ saraṇaṁ gacchāmi. Saṅghaṁ saraṇaṁ gacchāmi.（ブッダム　サラナムガッチャーミ　ダムマムサラナムガッチャーミ　サンガムサラナムガッチャーミ）

二、一心敬礼十方法界常住仏　一心敬礼十方法界常住法　一心敬礼十方法界常住僧（遵式、往

生浄土懺願儀）

三、自ら仏に帰依したてまつる。まさに願わくば衆生とともに、大道を体解して無上意を発さん。自ら法に帰依したてまつる。まさに願わくば衆生とともに、深く経蔵に入って智慧海の如くならん。自ら僧に帰依したてまつる。まさに願わくば衆生とともに、大衆を統理して一切無碍ならん。（華厳経、浄行品）

四、サンスクリット　南無喝囉怛那、哆囉夜耶　ナムカラタンノウトラヤーヤ　Namo ratnatrayāya（帰依三宝の意）（大悲心陀羅尼の初）

仏陀

〈仏陀(buddha)とは〉覚者の意。本名、ゴータマ・シッダールタ。如来(tathāgataタターガタ、真如から現われてきたもの）ともいう。如来の十号＝応供、正偏知、明行足、善逝、世間解、無上士、調御丈夫、天人師、仏、世尊。

〈三世十方の諸仏〉過去七仏（毘婆尸仏・尸棄仏等）然燈仏（定光仏）未来仏（現在兜率天にいる弥勒菩薩等）、恒沙の諸仏（四方仏・六方仏・十方仏）東方の阿閦仏、西方の阿弥陀仏（無量寿仏）。

〈仏の正覚〉成道、涅槃（泥洹）、菩提、阿耨多羅三藐三菩提（Anuttarasamyaksaṁbhodi 最高の正しい智慧、無上正等覚）解脱。

〈仏陀の定義〉　自覚・覚他・覚行窮満

声聞—仏の教を受けて学ぶ出家の弟子。その覚りを得たものを阿羅漢（応供、供養されるにふさはしい者）という。

独覚—縁覚・辟支仏ともいう。自ら覚っただけで、他人を教えようとせぬ者。

菩薩——仏の覚り（菩提）を求める志をたて（＝発菩提心）、仏に具わるべき徳行（菩薩行）を実践している者。

二乗——声聞として阿羅漢で満足する者や独覚で終る者は、自分の覚りだけで仏の覚りを求めようとせぬから、合せて二乗といい、小乗の者として大乗から非難せられる。

三乗——声聞乗と独覚乗と菩薩乗とを合せて三乗という。乗とは教の意味。

一乗——三乗の区別は仏が人々の能力に応じて暫く誘引の目的で説いたに過ぎないから、真実には皆すべて仏になるという教。

〈仏の智慧と慈悲〉

自覚は上求菩提の完成で智慧を満足し、覚他は下化衆生の完成で慈悲を満足する。

大勢至菩薩（智慧の人格表現）観世音菩薩（慈悲の人格表現）。

慈悲の深遠なること虚空の如く、智慧の円満せること巨海の如し。（親鸞、文類偈）

仏心とは大慈悲これなり。無縁の慈を以て諸の衆生を摂す。（観無量寿経）

聖人のつねのおほせには、弥陀の五劫思惟の願をよくよく案ずれば、ひとへに親鸞一人がためなりけり。（歎異鈔）

〈無量寿なる仏〉

衆生を度せんが為の故に、方便して涅槃を現ず。しかも実には滅度せず、常にここに住し法を説く（法華経、如来寿量品）

まさに知るべし、如来はこれ常住の法、不変易の法なり。如来の此の身はこれ変化身にして雑食身に非ず。衆生を度せんが為に毒樹に同じきを示す。この故に捨てて涅槃に入ることを現ずるのみ（涅槃経巻三、長寿品）

慧光照すこと無量にして、寿命無数劫なり（法華経、如来寿量品）

彼の仏は何が故に阿弥陀（Amita 無量）と号くる。舎利弗、彼の仏は光明無量にして十方の国を照し、障礙する所なし、この故に号けて阿弥陀となす。又舎利弗、彼の仏の寿命と、及びその人民とは、無量無辺阿僧祇劫（劫は長時、阿僧祇は無数）なり、故に阿弥陀と名づく（阿弥陀経）

帰命無量寿如来、南無不可思議光（正信偈、親鸞の教行信証の中の一節）

無量寿経は、昔法蔵という菩薩が仏となるため四十八の理想計画を樹て（本願・四十八願）その目的を達成して今から十劫以前に阿弥陀という仏になられたから、人々はその仏の力によって阿弥陀仏の国（極楽・安楽国）に生まれて仏に成ることができるということを、釈迦仏が説かれた経である。

教　法

三蔵——仏の教を伝承し記録したものを経といい、仏が弟子たちに向って非行を制止せられた規則を律といい、経や律を解釈したり研究したものを論という。

大蔵経——経律論の三蔵全部と、それの註釈書（疏）や研究書、又伝記・図書目録等を網羅したもので、一切経ともいう。

縁起——ものごとはすべて相互の関係によってのみ生滅し又存在するものである。この説は仏陀成道の時の思惟内容とせられ、それを組織づけたものに、十二縁起、業感縁起、如来蔵縁起、阿頼耶識縁起、十玄縁起等の諸説がある。

空——縁起をはなれてそれ自身単独に生滅したり存在するものはないことを空という。空の深い意味は特に大乗仏教の般若経の中に究明されている。

〈四諦〉仏陀が人に向っての教の基本型式。苦・集・滅・道を四諦という。諦とは真理の意。

苦諦——人生はすべて苦しみである。苦の生活に三種の段階があり、三界（欲界・色界・無色界）という。

四苦（生苦・老苦・病苦・死苦）　八苦（生老病死の四苦と、愛別離苦・怨憎会苦・求不得苦・五盛陰苦）

集諦——苦の根元は煩悩である。煩悩とは人の身心を煩わせ悩ます精神作用の総称。最も根本的なものを三毒（貪欲・瞋恚・愚癡）という。見惑（道理に対する迷）と思惑（情意的な迷）。これに関する分類は甚だ多い。

滅諦――苦の滅した涅槃が理想の境地である。涅槃 nirvāṇa（泥洹・滅・滅度）とは、吹き消されたという意味で、煩悩の火が消え菩提（bodhi）の完成した境地。有余涅槃（煩悩は断じたが肉体の残存する涅槃）無余涅槃（身心共に滅無に帰した涅槃・灰身滅智ともいう）大乗の涅槃経では、法身（理）・般若（智）・解脱（自在のはたらき）を三徳といい、三徳は一体不可分だという。

道諦――涅槃に達するには正しい修道による。

八正道（正見・正思惟・正語・正業・正命・正精進・正念・正定）　三十七道品（四念処・四正勤・四如意足・五根・五力・七覚支・八聖道）　不浄観・数息観　六波羅蜜（pāra-mitā 六度、布施・持戒・忍辱・精進・禅定・智慧）

天台宗の四種三昧、法相宗の五重唯識観、禅宗の坐禅、浄土教の念仏、日蓮宗の唱題等。

〈教相判釈〉

仏教内の多くの異説を総合して統一的な体系あるものとして理解する仕方

天台宗の五時八教
- 原理
  - 化儀四教（形式）―頓教・漸教・不定教・秘密教
  - 化法四教（内容）―三蔵教・通教・別教・円教
- 原理に基づく
  - 現実の教　五時―第一華厳時、第二阿含時、第三方等時、第四般若時、第五法華涅槃時

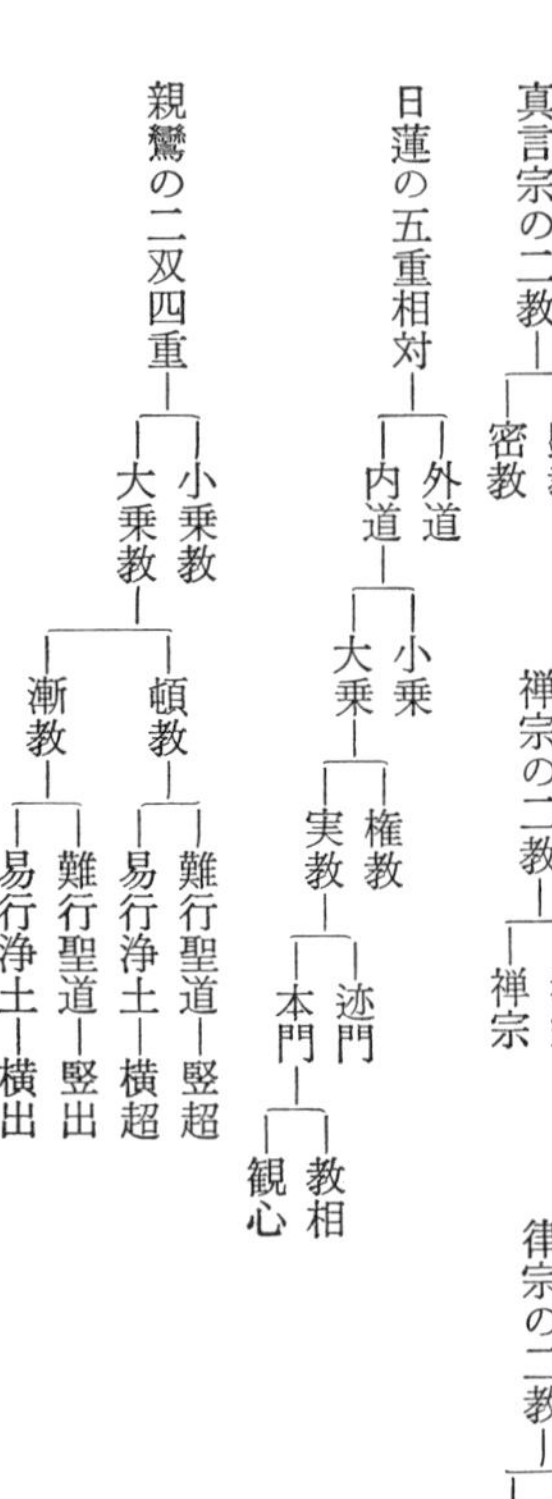

〈如来の出世本懐（仏教の目的）〉

諸仏世尊は唯だ一大事因縁を以ての故に世に出現したまう。……衆生をして仏知見を開かしめ清浄なることを得せしめんと欲するが故に世に出現したまう。……（開示悟入）（法華経方便品）

如来は無蓋の大悲を以て三界を矜哀す。世に出興する所以は、道教を光闡し群萠を拯い、恵むに真実の利を以てせんと欲してなり（無量寿経巻上）

如来世に興出する所以は、唯だ弥陀の本願を説かんとなり（正信偈）

〈悪人成仏、女人成仏〉

法華経の二乗作仏――自己の覚以外は考えず不完全な覚りで満足していた者も、仏の教の本意（慈悲心）に目ざめることによって仏となる。

涅槃経の闡提成仏――仏法に対す信仰を拒否していた者（一闡提 icchantika）も、仏の限りなき慈悲心によって終には信を得て仏となる。

法華経では、悪逆の提婆達多も、女性で然かも畜生である龍女も、皆成仏すると説く。

観無量寿経や勝鬘経や維摩経によるも女人成仏は明かである。

大乗善根の界にして、等しくして譏嫌の名なし。女人と及び根欠（身体障害者）と、二乗種とは生ぜず（極楽にそれらがないという意味で、それらは極楽へ生じ得ぬという意ではない）。（世親　浄土論願生偈）。

僧伽

僧伽――saṁgha 仏陀の教を信じて、信仰を同じうするものが集まって一体になっている団体。

仏陀は僧伽の一員、憍曇弥（仏陀の養母摩訶波闍波提）に対し、仏陀は仏陀に供養するよりも僧伽へ供養せよと指示された。

〈僧伽は何故に帰依されるべきか〉

僧伽の結集は仏教の理想を具体化する現実態であり、そこには教法尊重の精神が一貫しているから。

浄土への願生は、仏国僧伽への参加を意味する。

〈浄土教には三帰依が具備しているか〉

若し衆生あって、如来に調伏せられて如来に帰依し、法の津沢を得て信楽心を生じ、法と僧とに帰依する。この二の帰依はこの二の帰依にあらず、これ如来に帰依するなり。(勝鬘経)

三帰一元——帰命無量寿如来（念仏）、仏の本願を至心信楽（念法）、願生浄土。（念僧）

〈釈尊の僧伽〉

比丘僧伽（男子教団）と比丘尼僧伽（女子教団）とより成る。合して出家の五衆という。

沙弥（十戒を持つ）————比丘（二百五十戒を持つ）
沙弥尼（十戒を持つ）——式叉摩那（六法を学ぶ）—比丘尼（三百四十八戒を持つ）｝具足戒

比丘僧伽の最初は鹿野苑の初転法輪による五比丘の帰依。比丘尼僧伽の成立は比丘僧伽に後れ且つ人数も遙かに少ない。

法名の釈尼は、釈迦仏の弟子で、尼は女性を示す語尾。

〈律〉仏が比丘比丘尼の守るべき生活規範として、制定せられたもの。その条文を集めたものを戒本（波羅提木叉 pratimokṣa）といい、随犯随制と称し、過失を犯した者の発生した度毎に規定され、初めから予め規定されたものではない。

比丘の四波羅夷罪——比丘尼の場合は八波羅夷罪。この中のどの一罪を犯しても僧伽から除名せられる最重罪。大淫戒（非梵行）、大盗戒（不与取）、大殺戒（殺断人命）、大妄語戒（妄説上人法）　波羅夷罪に次ぐ重罪は僧残と称し、懺悔して後一定期間比丘としての権利を停止されるが、その後僧伽内に留まり得る程度のもの。

〈戒〉出家・在家を問わず、自発的に非行を防止するためのいましめ。

戒─┬止持戒　禁止する規則　大殺戒・大盗戒等
　　└作持戒　実行する規則　布薩・雨安居等に関する規定

〈出家の衣食住〉

衣──三衣は六物（三衣と鉢と坐具と水こし袋）の中の三種で、比丘の必ず所持しなければならぬ衣服。安陀会（五条）鬱多羅僧（七条）僧伽梨（九条乃至二十五条）で、綴り合わせて作る布の条数による。袈裟ともいう。Kaṣāya とは濁・不正色の意で、必ず濁った色に染めて着用するによる。

食──乞食。比丘とは乞食によって生活するものの意。一日一食。正午を過ぎて以後の食事（過中食）は禁ぜられている。食肉は生命を断ち慈悲に背くから、初めは制限外として認められていた三種浄肉（自身のために殺したのを見ないもの、そのことを他人から聞いていないもの、そのような疑のないもの）も、大乗仏教の涅槃経などでは厳禁した。

住──出家林棲は仏教以前からあったインドの風習。
祇園精舎のように信者から寄進せられた僧房もある。雨期三ヵ月間遊行托鉢を休み、一定の場所に合宿し研修するのを安居（夏安居又は雨安居）という。また同一地域内の比丘たちが満月の日と新月の日と、月二回会合して反省会をするのを布薩という。

得度──在家の者が出家して僧となるのを得度といい、その時、剃髪して厳粛な式を行う。

剃髪は頭髪やひげをそり落すことで、憍慢や誘惑を防止し、世俗への愛著を棄てて修道に専心させるため。

〈在家の信者〉

男子を優婆塞（信士）といい、女子を優婆夷（信女）という。同じく五戒を持つ。五戒とは、不殺生、不偸盗、不邪淫、不妄語、不飲酒。在家の信者が、一昼夜の期限を限って出家の戒をたもつのを八戒斎といい、その間は不淫戒（不邪淫戒でないから、夫婦間の交りもせぬ）をたもち、その他に、高座に坐らず、身に香油を塗らず、演劇等を見ず、および過中食をしない。

〈女性と仏教〉

最初に比丘尼のできるのを仏陀は躊躇し、条件を附けられた。既存比丘教団の堕落に対する危惧。女性の精神的弱点と身体的危険に対する注意喚起。男性本位で女性差別に偏向する社会通念に対し自覚要望。女性の生理的苦痛に対する同情。釈尊が男子であったことに基づく仏身男子説への反駁。覚りの上の男女平等を大乗経典の力説。極楽無女人・変成男子説は上述諸項の総括的表現

第二編　仏教の視点

無常

仏教思想の基本的な考え方の中に、諸行無常ということがある。諸行無常というと、平家物語の一番初めの書き出しに、「祇園精舎の鐘の声、諸行無常の響あり、沙羅雙樹の花の色、盛者必衰の理をあらわす」と言われている有名な文章が思い出される。すべて殷々とひびく鐘の音というものは荘重なもので、決して陽気な感じがするものではないが、仏陀釈尊がいつも説法をせられた祇園精舎では、そこの鐘の音を聞いても諸行無常と感じられるというのである。沙羅雙樹というのは、釈尊が御入滅になったクシナガラという所にある沙羅という木の林のことで、その沙羅の林が釈尊の御入滅の時に鶴のように真白に色が変ったということである。そのように林の色が白く変ったということは、盛なるものの必ず衰える道理を知らせて、仏陀と雖も生ある限り死は免れぬということを諭そうとしたものだというのであろう。こうして諸行無常ということは、命あるものが死に、盛なものが衰えるという人生の哀れと結びついて考えられているのであって、日本では昔からもののあわれということをよく言われるが、その底には諸行無常を今言ったような意味に了解し、そういう風に了解せられた仏教思想が日本人の人生観に強く影響して生まれたものと思われるのである。

昔から多くの高僧の出家の動機などを調べてみると、世の有為転変に自分の心が堪えきれなくなって、世をはかなみ頼りなさに打ちひしがれ、終に仏門に帰したということがよく言われる。たのみとする父母や恋い慕う愛人に死にわかれることは、確かに諸行無常をひしひしと感じさせる悲しい出来事にちがいない。今日でも元気一杯に活動していた人が、交通事故などの不慮の災難で命を失うと、周囲の人々は今更のように驚いて、人の世は明日を予測することのできぬはかないものだから、急いで達者なうちに仏法を聞いておかねばならぬなどと言う。さてこうして不慮の災難に出逢った時、人間が初めて人生というものをしみじみと考えふり返ってみるということは、確かに重大なことであり当然なことでもあると思われるが、しかし仏教が諸行無常というその元の意味はどういうことか、またなぜ諸行無常と説き、そういうことを力説することによって人間の生活態度をどのように導こうとしているのか、これらの点について、これから少し私の考えている所を述べてみたい。

一

まず無常というはどういうことかと言えば、移り変り流れ動いて暫くもじっとしていないということである。すなわち変化流動して止まぬことを無常というのである。だから無常というのは、必ずしも生きているものが死んだり、盛なものが衰えることばかりをいうのではなく、花が咲き木に実のなるのも無常の現れであり、子供が生まれるのも生まれた子供が成長するのも、これまた無常なればこそあり得ることである。広く言えば学問も芸術も産業も、人間のいとなみはすべて無常という法則が支配する中で行われているのである。仏教の考え方では、人世におけるすべてのものごとは、みな因縁に依って成り立っている。因縁に依って成り立っているというのは、どんなものでも、どんなことでも、それは単独にそれ自身で存立しているものはなく、お互に他のあらゆるものごとと直接もしくは間接の関係・条件の下に存在しているのであると見るのであって、そのように因縁によって存在しているものを有為法（ういほう）といい、有為なるものをまた諸行（しょぎょう）ともいう。いろは歌の中に、ういのおく山という語があるがあの場合のういというのは今いう因縁に依存して成り立つているものという意味であり、先程来私は度々諸行無常ということを言ったが、その諸行というのも実は今いう所の因縁が集まって造られたもののことである。そういう因縁が集まって造られたものはまた因縁次第で変化する、すなわち関係や条件次第で移り変って行くものであるから、諸行無常という場合の諸行という言葉には、すでにそれだけで移り変るものという性格が示されていると言われている。人生におけるあらゆる現象はみな夫々の関係条件において存在するものであるから、何一つとして単独にそれ自身で存在し生滅変化の支配を受けぬというようなものはあり得ないということ、それが諸行無常という意味である。

無常ということについて二つの内容が考えられる。例えば生きていた人が死ぬというように或る一定の間続いてきたものが破壊し滅び去ること、こういうのを相続無常という。こういう無常はよく知られている所であるが、この相続無常の根本にあって更に重要なのが利那無常といわれるものである。利那というのは、利那主義だとか利那的快楽だとかいうように使われるあの利那であり、一瞬間の極めて短い時間を指すのである。ものが現在の状態に止まつているのは一瞬間一利那の間だけであって、次の一瞬間次の一利那にはもう前の状態はなくなって別な状態になっていると考えられるのでそういう意味での無常を利那無常というのである。人が物を考えることを念と言って念仏の念の字を書くが、物を考えるのも極めて短い時間の中にどんどんと次へ進んでゆくので、短い時間のことを一念ともいい、今言った刹那無常すなわち一瞬間一瞬間で次々に変化してゆくのをまた念念無常とも言われる。念念無常だとか刹那無常だとか或は相続無常だとかこういう風に仏教の術語を使うと、なんだかわかりにくい感じを持たれるかも知れないが、要するに人生においては、草も木も、動物も人も、更には国も世界も、何一つとしてじっとしているものはなく、刻々に移りかわるということが諸行無常ということである。怒りも笑も歎きも喜びもすべては無常であるから、腹を立てていた人がいつしか笑うことにもなり、笑っているかと思えば知らぬ間にまた歎くということにもなる。すべてこういうように人生のあらゆるものごとは一瞬間もとだえることなく、次から次へといろいろの原因に左右されて移り変るというのが刹那無常ということであり、それが諸行無常のもともとの意味なのである。

二

さて仏教では、仏教の基本的考え方を諸行無常、諸法無我、一切皆苦と三つにまとめてこれを三法印（さんぼういん）といい、諸行無常ということをその三法印の一つに掲げている。しかしものがみな移り変って一瞬間といえども元のままの状態にあることができぬというのは、仏教に限らず今日の自然科学の方から言っても認められる所であるが、仏教がこれを仏教思想の旗印しともいうべき三法印の一つとして諸行無常・諸行無常と力説するのはどういう理由によるものであろうか。人生において我々が経験するものは、何一つとして変化しないものはないということの事実は、決して自然認識の範囲に止まるものではない。自然現象や人間の心理現象などについて、どんなに正確にまたどんなに詳細に流動変化の原則や過程を究め知ったとしても、仏教が無常を説いた本来の目的がそれだけで達せられたということはできない。なぜなら、仏教は人が生きてゆく上についての苦しみ悩みの解決を目ざすものであり、単なる知識や学問の修得を目的とするものではないから、諸行無常のことわりを説くというのも、それが直ちに自分の苦しみ悩みというものと結びつけて受けとられ、真に諸行無常がわかったという時には苦しみ悩みが除かれねばならぬはずのものである。たとえ一時にすべての苦悩が解消するということはできないにしても、少くも無常のさとりは苦悩解消と同じ方向に於て見出されるべきものであるということだけは否定できないのである。

それでは無常がさとられていないということと苦悩というものとはどこかで結びついていると考えられるが、その関係はどうなっているのであろうか。その点を少し卑近な例によって考えてみよう。

人が生まれるのも、人が成長するのも、やがて老衰するのも、或は更に、早かれ遅かれ死なねばならぬということも、これは因縁によって存在する以上初めからわかっていることである。だから、人は生まれると同時に死を約束づけられたものであり、誕生の時に既にお祝の言葉と同時にお悔みの言葉が用意されていなければならない。生きている人間は、変化無常の人生であることを百も承知していながら、内心には、いつまでも若くていたい、健康でいたい、生きておりたいという本能的な欲望のために、無常な人生に常住なもの変らぬものを期待している。所が期待は常に現実によって裏切られ、いつまでも若くありたいと思いながら老衰するのをどうすることもできず、いつまでも健康でいたいと願いながらしばしば病魔に悩まされる。いつまでも生きていたいと願わぬ者はないが、かって死から免れた者は一人もない。

そうしてみると、人間の苦しみ悩みというものはどこから起ってくるかと言うに、実際は無常なるが故に苦しいというよりは、無常ということはどんなにしても動かせない事実であるのに、強いてそれに逆行しようとする人間の無理な欲望にあるということになる。無常という事実が動かせないものである以上、それをすなおに認めそれに順応するより外はないであろう。順応する所に苦しみはない。逆行しようとする所に苦悩は絶えないのである。そこで移り変る世の中に在って苦しみのない生活をするために、単に諸行は無常で移り変るものだということを知的に認識したというだけでは駄目で、感情の上からも意志の上からも、一切の思うこと言うこと行うことが、みな少しのさしさわりもなく完全に無常に順応してゆけるということにならねばならない。ところが人間は理性だけで動くものでなく、理性的に十分承知していながら、本能的にどうしてもそれに順応できぬことが多く、仏教では理論上のまどいのことを見惑（思想見解の惑）といい、理窟としてはわかっていても自分でどうにもならぬ本能的な惑のことを思惑（思惟の惑）というが、この思惑はこれをとりのぞくのが仲々容易なことでない。そのために大抵の人間は皆諸行無常が頭の中で理解されているに止まり、生活の中には少しも生きてこないのである。無常ということは変化流動することだから、仏教はこれを表現する場合「世の中のものはすべて移りかわる」と肯定的な命題で示せばよいと考えられるのに、わざわざ否定命題で「常なることなし」と表現されているのもこういう所に関係していると思われる。すなわち変化するものの中にありながら、変化しないもの、すなわち常なるものがあるように考え、それにとらわれている。そこに苦悩が起るのであるから、その誤そのとらわれを除いて苦悩を解消するためには「常なるものなし」と否定的に説かねばならなかったのである。

以上によって人生におけるすべてのものは、時々刻々に移り変るのにもかかわらず、人は期待と現実との区別がつかずに「変らないでいてほしい」という期待心から、知らず知らずの中に「変らぬものがある」ように思いこんでしまい、その考えにとらわれている。ところがその「とらわれ」の心が苦の原因であるから、仏教ではその「とらわれの心」をなくしようとして「常なるものはない」と言って諸行無常と説くのであるが、しかしそのように諸行無常と聞かされると、今度は諸行無常ということにこだわって、その考えにとらわれてしまう人がでてくる。諸行無常にとらわれるとどういうことになるかと言うと、そういう人々は次のように考える。人生は無常でありはかないものである。頼みにすることのできるものは何もない。家庭の幸福も社会に立っての活動もみな夢の如くまぼろしの如くである。故にそのような頼りにならぬものばかりによって打ち立てられたこの世には早く見切りをつけるべきであると考え、家庭を捨て社会から孤立して、ひとり自分の修養につとめるということになる。遁世(とんせい)とか世捨人(よすてびと)とかいわれるのはこういう生活態度の人をいうのであり、日本ではこれらを真の仏教者であるかの如く見られてきたこともあった。だが、こうした生活態度を以て仏教の正しい信者と言えるだろうか。その人たちは、諸行は無常なるが故に頼りにならぬはかないものだと言うが、頼りにならぬというのは、そもそも何が頼りにならないのであろうか、無常なるが故に世の中のものは頼りにならぬという時、頼りにしようとした自分の心は果して信頼できるものかどうかということを、この人たちは考えているであろうか。「頼りにならぬはかないものだ」ということは、無常なるものそのものに罪があるのでなく、実は無常なるものを無常と見ず、自分勝手に期待して変らぬものがあるように考えた、そういう自分の心そのものに罪があったのではなかろうか。それだのに誤の根源である自分の「とらわれの心」はそのままにしておいて、諸行の無常にばかり苦しみの原因をおわせようとするのであるから、こういう人は無常を感じて世を遁れ出家したと言っても、心底から苦しみ悩みが解き放たれたのではない。前の人は、世の中に移り変らぬものがあるように考え変らぬものがあるというとらわれの心のために苦しんでいたのであるが、今度の人は世の中のものは移り変るものばかりだというように考え移り変るものばかりだというとらわれの心にしばられている。しかしそういうと、事実諸行は無常なのだから無常なものを無常と見るのに何等誤といわれる筋はない、だから無常と感じて世を捨てる人はこれこそ正しい仏教者でないかという反論も出てくるかと思う。如何にもそう言われてみると、もっともらしい道理のように思われるが、しかし問題は前にも述べたようにとらわれの心にある。

仏教で諸行無常を説くのは変らぬものありと考えるとらわれの心を打ち破るためであって、問題はどこまでも事実認識の如何ではなく、苦の根源たる執着心の打破にあった。従ってとらわれの心を火とするならば、諸行無常を体得することは火を消すために水を注いだようなものである。ところが今度はその諸行無常がとらわれの心となり執着となってしまったために、火を消すためにふりかけたつもりの水が実は油であったというようなもので、火は消えるどころか却っていよいよ勢を増してくる。どうしてここから苦しみ悩みの消滅した悟りの境地が導かれるだろうか。どんなに人里はなれた草庵に住み世間と孤立した生活をしてみた所で、内心のさみしさはかくしきれるものでなく、現世のことはどうなってもよい来世のみがひたすら望みであると考えたとしても、それはもう惨めな敗北者のあきらめに外ならぬと言ってよいであろう。結局、諸行無常は何のための教かという根源を見失っていた所に、誤の根本があると言わねばならない。

仏教ではものがみな移り変ることを知らぬ執着を常顛倒(じょうてんどう)という。顛倒というのは逆立ちということで、事実は無常であるのに常住だと見るのは逆立ちした見解であるから常顛倒というのである。それと並んで今度は、ものはみな無常だという一面しか知らずこれを固執する執着を無常顛倒という。しかし無常は何故に顛倒なのか。もし諸行無常というのが顛倒だというならば、前のようにものはみな移り変ると見ないでいつまでも変らないでいるという考え方は顛倒と言えぬことになるのではないかということになる。無常を顛倒だと見ることは原始仏教では言わぬ所であるが、大乗仏教では仏教の根本精神を探求した結果、無常ということもその一面にとらわれたならばそれは執着であり誤であるとして、これを無常顚倒としたのであった。では大乗ではどういう根拠に立つて、無常と見る見方をも顚倒としたかというと、それを説くに当って、涅槃経の聖行品に出てくる無常偈という一つの歌について述べたいと思う。

三

涅槃経の無常偈というのは、雪山童子(せっせんどうじ)の施身聞偈(せしんもんげ)の物語といい、ヒマラヤ山の中で道を求めていた青年が、たまたま尊い歌の半分が聞えてきたので、その歌の主が人を食う羅刹(らせつ)という鬼であることを知った時、歌の残りの半分を聞くため自分の一身をなげ出したという悲愴な物語でよく知られている歌であるが、その歌の中に次のように言われている。

　諸行は無常にしてこれ生滅の法なり
　生滅滅し巳つて寂滅なるを楽となす

「諸行は無常にしてこれ生滅の法なり」というのは、世の中の因縁によって生じたものは、みなこれ生じたり滅したりする無常のものだということである。ここまでは諸行無常ということであるから別に問題はないと思う。次に「生滅滅し巳つて寂滅なると「生滅滅し已って」とは、生滅を超えるということである。超えるということは、あるものをあるがままに見てそれに左右されぬということであろう。「生滅滅しおわる」とは、生滅するものをなくしたりよけて通るというのでなく、生滅無常なものは生滅無常なものでありながら、それがため私自身の心が何等左右され、支配されるということのなくなったこと、そういうことを「生滅滅しおわる」というのであり、そこでは一切の分別・はからい・執着というものがないので、それを「寂滅」と言っているのである。今の無常偈では諸行は無常だと言っているが、だからと言って、人生は苦であると厭世主義を説き、人の世から逃げかくれる逃避を勧めているのではない。如何に人里から山の中へ逃げかくれても、移り変るものは外界の環境ばかりではないから、根本である自分の心が確立せぬ限りいつまで経っても、どんなに逃げかくれても、結局逃げきれるものではない。であるから、仏教では諸行無常だと言っても、無常なるものの外に常住なるものを求めよというのではなくて、無常なるものの中に生きながら、それに左右されて一喜一憂することのない確乎不動の心境を求めて行くならば、そこにこそ真の不変不動の楽しみ、すなわち無常でなくて常住であり、苦しみでなくて楽しみである所の常楽があると教えているのである。

日本の昔からある、いろは歌というのは、実は涅槃経にあるこの無常偈の意味を、日本の言葉で表現しなおしたものである。「いろは匂えど散りぬるを我が世誰ぞ常ならむ」というのは、今の無常偈に、「諸行無常、これ生滅の法なり」とあった前半分の意味を歌ったものである。そして「うゐの奥山今日越えて浅き夢見じ酔ひもせず」というのは、今の無常偈で、「生滅滅し巳つて寂滅なるを楽となす」とあったあと半分の意味を歌ったものである。

結局その意味は、人生のあらゆるものは生滅無常であり変化して止まぬものであるけれども、それに心がとらわれさえしなければ、夢を見たり酒に酔ったりしているように、真の自分を見失ったための迷の生活、すなわち苦の生活というものはなくなるということを言ったものである。この歌の意味はどうかすると、人生を夢のようだとし酒に酔ったようなものだと言って、この世は全くまじめに生きる価値のないものだといっているように理解されるかも知れぬが、本来決してそうではない。我々人間はあるものをあるがままに見ないで、自分に都合のよいようにばかりゆがめて見ているが、そこに根元となっている自分の足下に気づいて人生を見直してゆくならば、どんな苦難にも動揺せぬ心の安定が得られる。そういう人にはもはや無常ということによってもたらされる苦難はないから、苦難に動揺せぬというよりは、むしろそういう人には苦難がないといった方がよい。従って人生の日日が、生きがいのある楽しいものとして充実してくることを、このいろは歌は語っていると思われるのである。

釈尊は人生を無常と説き、最後には御自身もその法則に従って死んでゆかれた。死は無常の現われであるが、死ばかりが無常ではない。一生人に向って目覚めた生き方を語りつづけて来られたのも、無自覚な生活から自覚的な生活へ入らせようとの願のもとになされたものであり、こういうことは無常なればこそ可能であったのではないであろうか。我々は無常に反抗することはできない。しかし無常の前に屈伏する必要もない。無常をありのままに認めてゆくとき、そこに大きな力がわいてくる。極めて手近かなことで比喩的に言うならば、電気の性質に通じていない人は、無暴な仕事をして危険な目にあう。またむやみに電気を恐れてそれに近づこうとしない人、そういう人も電気を知っているとは言えない。しかし真に電気の物理学に精通している人は、そういう人こそが、これを以て人生に大きな恵を与えていると言えるのではないか。無常を真に知る人というのも、まさにこのような人生の強く生きる力を見つけた人と言ってよいと思うのである。

（NHKラジオ　昭和四十年八月三十日　宗教の時間に放送）

出　世

出世という言葉は仏教から出たものである。そこで仏教の中では、出世ということが、どういう意味を持つものであったかということをまず考えてみよう。

出世という言葉には、文字の上から言って、二つの意味がある。一つは「世を出る」ということで、それは世の中におった者が世の外へ出るということであって、これがこの言葉の元来の意味であり、仏教そのものの立場を端的に示す用語でもある。

ところが、この出世ということには、もう一つ別の意味があって、それは「世に出る」ということである。この場合には、世を出て世の外にいたものが、逆に世の中へ入って現れ出て来るのを言うのである。それならば世に入ると言ったらよさそうなものだが、そう言わないで特に世に出るというのは、これによって、新たに入る世間と、それまで住まっていた所の世間の外なる境地と、その二つの関係を強く示したいという理由によるものかと思われる。要するに出世には、世間を超え出る「超出」の意味と、世間に現れ出る「出現」の意味とがあるが、「出現」の意味の出世は「超出」の意味の出世という考え方に根拠し、そこから展開したものであって、今日、日常語として用いられている出世という言葉は、実はこの出現の意味の出世が、更に転化し転用せられるようになったものと考えられる。文字の読み方の上に見られる二つの意味の相違は大体前記の通りであるが、それではこの二つの意味の出世ということは、内容の上から言ってどういうことになるか、次にその点を説明することにする。

先ず初めに世を出る超出という意味の出世についていうと、出世とは世間を超越し超出するということだと云ったが、それではその世間とはどのようなものであるか、また何故に世間は越え出なければならぬのか、世間を越え出るにはどうしたらよいかという、この三点について言わねばならない。

初めに世間ということについて、世間というのは釈尊当時の古代インドの語(梵語)ではローカ(loka)といってもとは壊され破れ去るべきものという意味であって、この世のものはみな自然に変化し破壊されてゆくところからついた名である。それからまた、そのように破壊するものはそれに捉われ執着してはならぬという所から、世間には打ち破らるべきものという意味があると言われ、この意味が元になって世間には、世俗とか凡俗とかいうような意味も起ってきたのである。

こういうわけで世間というものは、第一に破壊し去るもの、第二に打破し打ち棄てらるべきもの、第三に世俗、凡俗という、以上三つの意味を持つのであって、現に我々が住んでいる世の中というものはこのような性格のものであるというのが、梵語のローカという言葉の意味である。そういう複雑な内容のローカという語が、漢字では世とか世間という字で翻訳されたのである。

さて世間というのは、今申したように現にある人の世のことであって、それは変化する無常なものであると言われるのであるが、それでは何故に仏教ではそれを越え出なければならぬものとするのかというと、人間はその変化無常なるものをありのままに見ることをしないで、自分に都合のよいように自分中心の見方ばかりしている。すなわち自我的な見地からものをゆがめて見、無常なるものを常住なる如くに見誤っている。人生における苦悩は、実にそこから起ってくるのである。

そこで、仏教では人生の真実を体得して苦しみのない心の平安な境地を涅槃というのであるが、そういう涅槃を求めるとすれば、どうしても、自我中心の誤った見方を捨てなければならぬ。無常なるものをありのままに無常と見る所に、苦しみ悩みはない。無常なるものを無常と見る時、そこに無常なるものを越えて常住なるもののあることが見出されてくる。このようにして、無常なる世間に対する執着を取り除くことを、仏教では世間を超えるといい、出世というのであって、出世間は結局、煩悩によって縛られていたものが、それから脱け出て自主自在になった覚りの境地、すなわち涅槃のことに外ならぬのである。仏陀が世間を超え出られた方であるのは、ありのままに世間を知っておられるのによる。そういうわけで、仏陀に対しては十の異った呼び方があって通常十号といっているが、その中に世間解（せけんげ）というのがあって、仏陀は世間を知る者だというのであるが、それはこういう理由による。世間を知る者はまた出世間を知る者である。否、世間を知るが故に出世間を知るのである。

それでは次に世間を超えるにはどのような道によるかというと、これは当然仏教の最も力を入れて教えるところであって、信仰といい、戒律といい、坐禅といい、学問といい、すべては出世のための道に外ならない。しかし一般に出世を求めるというと先ず第一に出家ということが考えられるから、ここで出世と出家との関係について考えてみたい。

出家というのは、申すまでもなく、妻子などのいる家庭をはなれ生活のための営みをも捨てて、専ら求道一途の修行をすることで、釈尊とそのお弟子たちは、みな出家して修行者の団体を作っていたのである。家庭というものは煩悩愛著が一番強く、一番多く集中する場所であって、人生における苦悩はすべて家庭を拠所として起ってくる。愛欲も、憎しみも、名誉心も、限りない物質的欲望もすべては家庭を中心に起り、そこから苦しみが起ってくる。そこで愛欲煩悩から脱け出る第一歩として出家が要求されたのである。

しかし家庭さえ離れたならばそれだけで出世の目的が達せられるかというと、決してそうではない。出家の本意は愛欲煩悩を離れるに在るから、たとえ形の上だけでは出家したとしても、愛著の情から脱けきらぬ限り、それは真の出家でなく、従ってまた真の出世でもあり得ない。

出家はあくまでも、出世のための手段であって目的ではないのであるが、それにしても、出世のために形の上の出家が絶対に必要であるかどうかというと、これは問題だと思うのである。仏陀釈尊はインドの社会における当時の風習に従って出家の道を説かれたが、同時にまた在家の者のための教も説かれた。従って出家のみが唯一の出世間の道ではなかった。在家と出家との別にかかわらず、要は、世間を超えて世間の愛欲の生活から脱却するに在るのである。

維摩経（弟子品）の中に、形の上の出家にとらわれるのを斥けて、「汝等すなわち阿(あ)耨多羅三藐三菩提心(のくたらさんみゃくさんぼだいしん)（最高なる智慧―仏のさとり―を求める心、求道心）を発さば、これすなわち出家なり」と説かれているが、これは正しく以上の趣旨を述べたものと考えられるのである。

形の上の出家にとらわれるならば、仏教は世捨人を奨励し世間からの逃避を教えるものだということになる。しかし真の意味の出家者は決してそのようなものではない。そのことは次の出世の第二の意味である所の、「世に出る」ということを理解することによって明かになってくる。第二の意味の出世は世に出るということである。世間に出現するということである。本来は仏や菩薩について用いられる言葉であって、凡人については用いられない。

これを仏菩薩について言う時には、どういう考え方が背景になっているかというと、仏や菩薩は、前に言ったように世間を越え世間を出た方である。そういう世間を越え世間を出た方が、再び世間の人として出現するのであるから、それは自己の意志に従って自己の目的実現のために出現するのである。

その点で無自覚に世間の中で溺れている凡夫の生存とは異るのであって、最初に私は、「出現」の意味の出世は「超出」の意味の出世という考え方に根拠し、そこから展開したものであると言ったが、その意味は実はかような所にあるのである。

今、仏陀がさとりをひらいて仏になったことすなわち成道されてから、世間の人々を教え導くための説法をせられるまでの過程を考えてみると、成道によって仏陀は出家の目的を達し、世間を超出せられた。大涅槃という覚りに到達したのであるから、自己の求道の目的は達成されたはずである。それは智慧の完成であり、自利の円満であるから、一往はもはやなすべきことはなし了えられたと考えられるであろう。

しかし仏陀はそこで止まることをせられなかった。仏陀よりすれば、たとい自分は苦しみ悩みから解脱したとしても、世の人々がまだ苦しみ悩みの中にある限りは、究極的に自分もまた苦しみ悩みから解脱したとは言えないのであって、そのような理由からして、仏陀としては、世の人々に向って世間を出る道を説かざるを得なかった。

そこでいよいよ説法ということが起ってくるのである。仏陀が人に向って法を説かれるというのは、覚りの境地である出世間の世界から、世俗の境地である世間へ出現されるということになる。

故に仏陀が世に出るというのは、身体的意味に於て単に仏陀が人間として生れるということではなくて、世間に向って法を説き、世間を指導し、世の苦悩ある人々を自己と同じ涅槃に入らせるという目的を実現するためということになる。仏陀はこの説法によって慈悲を完成し、利他を円満されたのであって、ここに至って仏陀は終極の目的を達成されたのである。

無量寿経に、「今日世眼、導師の行に住したもう」といい、法華経（化城喩品）にも

「仏は世間の眼となす」といわれており、法華経（譬喩品）にはまた、仏が「出世間の道を開示し演説する」と説かれている。これらは世間を「超出」した仏陀が世間に「出現」して、尊い目的のために命がけの活躍をせられることを示しているのである。

前に、私は、仏教は出世を説くがそれは人生を逃避する隠遁者の生活を目標とするものではないということを言った。その証拠は仏陀の成道と説法との関係の上に明かに認められるのであり、このことは延いて仏教徒も、真に覚りの世界に入ったならば自己一身の幸福に安んずべきでなく、その喜びを全人類と共にすべく社会に向って訴へ世界全体を理想の国土にするように努めるべきだということを教えていると考えられるのである。

なお、後世禅宗などでは、覚りに達した老師が大きい寺院の住持となることを出世すると言い、特に日本で、公家の子弟が持仏堂の法事を勤める要職に就くことを出世者になるなどと言うが、その根柢には以上のように教え導く者として凡俗の世間へ現われるという思想信仰があったことは明かである。

そうしてそれらは一般に人の上に立って人に敬われる地位であるという所から、やがて今日普通に使われる出世という意味にもなってきたと考えられる。

しかし今日使われる出世という言葉の底には、名誉心や物質的欲望の観念が充満している。仏教では本来そういうものを世間として斥け、それを克服し脱却した所を出世と呼んだのであるが、今日では全く正反対の意味に用いられており、これはまことに皮肉な現象だと言わねばならない。

（ＮＨＫ教育テレビ　昭和四十一年一月十七日　宗教の時間に放送）

涅槃

一

涅槃という言葉は、般若(はんにゃ)だとか、三昧(さんまい)だとか、陀羅尼(だらに)だとかいう言葉と同様に仏典にはしばしば出てくるので、およそ仏教徒ならば誰でもよく聞き慣れた言葉である。しかしその意味内容となると、決して簡単に言いあらわされるものではない。これらの言葉は漢字で表されていても実は古代印度の言語を漢字の音で写したものであるから、漢字の知識だけでは理解の困難なことは当然であるが、中でも涅槃という言葉の内容が複雑であるのは別に理由がある。

元来、印度では仏教以外でも、涅槃を以て最高なる理想の境地を呼ぶ名として用いていた。仏教はそれを襲用して仏陀にしても仏弟子にしても、そのさとりの境地を涅槃と呼びならわすことにしてきたのである。しかるに仏教の思想は二千五百年を経て絶えざる展開を遂げてきた。同じ釈尊の教であるが時とともにその領解のしかたに相違が生じ、或は諸部派の分裂を見、或は大乗・小乗の対立を来し、さては同じ大乗内でも中観系と瑜伽系などの流派が分れ、遂には中国や日本で多くの宗派が相次いで興起するに至っている。従って最高理想たる涅槃の意義内容もこれにともなって自ら変遷推移あるを免れなかった。涅槃はそうした長い間の各学派、各宗派の教義信仰を一語の中に含んだまま、今日の吾々にまで伝わってきているのである。だからこの言葉には、仏教信仰のあらゆるすがたが籠められていると言ってもよく、簡単に一義的にその意味を決定し得ないのはむしろ当然と言わねばならぬ。

順序として先づ字義の説明から見ることにしよう。涅槃は梵語（サンスクリット）の nirvāna（ニルヴァーナ）という語の音を漢字であらわしたもので、翻訳者によっては泥洹（ないおん）とか泥曰（ないわつ）などという字をあてることもある。それ故大無量寿経などでは「国如泥洹」とか「泥洹之道」などとあるが、いづれも涅槃のことである。古来中国ではこれを滅とか滅度などと翻訳してきた。従って必至滅度ということは、必ず涅槃を証するということである。涅槃は滅と訳されるのでもわかるように、本来は「吹き消されたること」という意味である。では滅とか吹き消すというのは何について言うのかと言うに、それは煩悩について言うのである。すなわち吾々の心を苦しめる煩悩の火が吹き消された境地、それを涅槃と言うのである。人の世は苦しい。しかしその苦しさは、身の苦痛ではなくて心の苦悩である。この苦悩はもとをただせば外ならぬ己の煩悩のせいであるから、煩悩の滅した時、苦しみはなくなる。この苦しみのないのが涅槃である。じりじりと身を焼きつけた火が消された時のすがすがしさ、快よさ、涅槃はこの清涼さに喩えられる。

涅槃は無苦の故に楽と言えるが、その楽は苦と相対的に考えられるような楽ではない。通常言う楽は苦と異ること程度の差に過ぎない。故に楽はやがて苦の因ともなり、絶対不変のものではない。これに対して涅槃は、苦楽によって動揺し悩まされてきた人の心がもはや何ものにも動かされなくなった時の楽であるから、それは絶対の楽（楽）であり、不動のもの（常）である。他に動かされぬから自主的（我）であり、煩悩のけがれなきものであるから清浄（浄）である。つづめて言えば涅槃は常楽我浄なるさとりの境地ということになるのであって、かかる涅槃こそは正しく何人にとっても究極の理想でなければならぬ。

二

仏道修行の究極の目標である涅槃は、仏陀釈尊によって現実にこれが証得せられていたのに相違ない。さればこそ吾々も釈尊の教に従ってその涅槃を得たいと願い求めているのである。それならば世尊は一体何時その涅槃を得られたのであろうか。生前であろうか、臨終に於てであろうか。これは重大な問題であって、生前か死の時かの別によって涅槃の性質は根本的に相違してくるのである。

古来世尊の死を入涅槃とか、入滅などという。そうすると世尊は死と同時に涅槃をさとられたことになるが果してそうであろうか。だがそうは考えられない。もし死に臨んで始めて涅槃を得られたとすれば、生前において煩悩の火は吹き消されていないのであるから、そのために起る苦悩も滅していない筈である。自ら苦悩の中にある人が、他に向って滅苦解脱（げだつ）の法を説くということは、とうてい考えられない。だから世尊が死に臨んで涅槃を得られたという解釈は成立たぬことになる。

然らば世尊が涅槃を得られたのは何時のことか。誕生の時か、出家求道の時か。誕生は人としての身体の誕生であって、仏の誕生ではない。人として生れた釈尊が直ちに成道し説法されたわけでなく、出家求道修行がなされた上で仏道が成ぜられたのである。自身未だ苦悩の中に在って解脱を得て居られなかったからこそ、そのために出家求道修行がなされたのではなかったか。してみれば、誕生の時にも、修行の時にも、世尊はまだ涅槃を得ていられなかったと言わねばならぬ。

世尊の得涅槃は成道の時をおいて外にはない。菩提樹の下、金剛座の上に坐して、人の世のまことの相を観ぜられた時、暁の明星輝き初めると共に、世尊の心に智光がさした。この時世尊は阿耨多羅三藐三菩提（この上なく正しい智）を得て仏陀となられたのであり、この時世尊は大涅槃を証して無苦の仏陀を得られたのである。仏陀となるのは涅槃を証したからであって、二者別なことではない。仏陀という限り、それは涅槃を得た方でなければならない。仏陀 Buddha とは覚者という意味である。覚るということは唯だ知るということではない。覚者は人の世の苦なることを知り、苦が煩悩に基くことを知られたから、その当然の結果として、自らその苦悩の根源たる煩悩を滅して無苦の涅槃を得られたのである。故にこの覚りは、単に知ったということでなく、身証によって知を実にし全うするのである。ものの味は言説思量の及ぶ所ではないから、自ら口に味わってみなければ真に知ることは出来ぬ。さとりはまことの知であるから身証でなければならぬ。その身証の智を菩提と言い、身証の覚者を仏陀と名づけ、身証された境地を涅槃と呼ぶ。かくして成道即ち仏陀となるということは、涅槃を得るということを外にしては全く空虚にして無内容な文字となってしまうことが知られるであろう。

三

成道がすなわち涅槃を得ることであると知られたが、では涅槃を得た仏陀はすでに苦悩なき方でなければならぬ筈であるのに、果してどうであろうか。釈尊にも八十歳でおかくれになるまでその間にもろもろの御苦しみがあったと思われる。何はともあれ、老と病と死があったことだけは否まれない。この事実をどうみるべきであろうか。

そこで或る一派の人々はこう考えた。世尊はいかにも成道の時に煩悩を滅して涅槃を得られたに相違ない、しかし煩悩はなくなっても煩悩の報である身体はまだ残っている。それ故身体のあるところ、老と病と死とは免れなかった。現に世尊は純陀（じゅんだ）の供養を受けて病を得られ、それがもとで遂に沙羅樹（さらじゅ）の下でおかくれになったのである。沙羅樹の下で、世尊の身心は完全に消え去った。前には菩提樹の下で苦の因たる煩悩を滅せられたが、今沙羅樹の下では煩悩の果たる苦身を捨てられたのである。してみれば前の成道も涅槃であるが、今は実にこれ涅槃の完成というべきであろう、と。

こうして人々は涅槃に二つの段階を立て、前の成道の時に得られた有身の間の涅槃を有余（うよ）涅槃と名づけ、後の入滅の時に得られた身体消滅の涅槃を無余（むよ）涅槃と呼ぶことにしたのである。どちらも涅槃ではあるが、無余涅槃こそは薪つきて火滅する如く苦の因も果も一切余すところなく尽き果てた境地であるから、この方に終極の意味を認めるべきだと考えたのである。後世、入滅・入涅槃と言えば仏の死を意味するようになって、二月十五日の仏の死を記念する法会を涅槃会と言い、死の床に横臥せられた仏身を囲んで遺弟等の悲泣懊悩するさまを画いた像を涅槃像と呼ぶことになったが、その根拠はこのような思想の上に立つものであった。

今日吾々が仏の死を涅槃という言葉であらわしていても、それはただちに吾々が有余涅槃・無余涅槃という考え方を根柢から認めて信じているというわけではない。いかにも仏の死を入滅また入涅槃と呼ぶのが有余無余二涅槃説に基く入無余涅槃の略称であることは事実であるが、今日では言葉のそうしたもとの意味はすっかり忘れてしまい、ただ古来の慣習に従いそう呼びならわしているに過ぎないのである。

四

涅槃を身体の有無によって二種の段階に分つ考え方は、果して世尊の教を正しく領解したものと言えるであろうか。世尊を見る正しい見方と言えるであろうか。こうした考え方の根柢には身心を区別する二元論が横たわっている。煩悩が苦の因なりと言うことは、煩悩の果として苦の身体が生ずると言うことであろうか。彼等は苦因は滅しても苦果の存する限り、老病死が苦となるは避け難いと見る。しかし煩悩によって老病死ありというのは、果してそういう意味であろうか。老病死というのはこの場合苦しみとしての老病死を言うのであって、人間の生理現象としての老病死を言うのではない。故に煩悩によって老病死ありというのは、煩悩があるからこそ老病死が苦悩と感ぜられるということであり、決して煩悩という精神状態が、老病死という生理現象を引きおこすという意味ではないのである。従って煩悩を滅した時に老病死がなくなるというのも、煩悩なき時には老病死が苦悩と感ぜられぬということであり、煩悩の尽きた後は現にある身体を終えた後、再び他の身体を受けることなしという意味ではないこととなる。

こうして二種涅槃説は仏の縁起の教を正しく領解したものとは考えられないが、更にこれを実際上世尊の生涯の上に見たならばどういうことになるであろうか。人生は苦しいと知って身心共に滅無に帰するのが理想の涅槃と言うならば、それは人生より逃避を勧めることになる。八十歳の高齢まで道を説いて倦むことなく、なすべきことをなし了えて静かに世を去られた釈尊が、人生よりの逃避を理想とせられたとはどうしても考えられない。世尊の涅槃をそのように見るのは、そう見る人自身が、仏陀の老病死をも未だ煩悩を滅しておらぬ者の老病死と同じに見ているからである。

世尊は成道の時に煩悩を滅せられた。煩悩あればこそ老病死は苦しみであるが、煩悩を滅した人には生理的老病死はあってもそれは苦悩とならない。それ故に成道より入滅に至るまでの五十年の生涯は、涅槃の完成を目ざしての過程ではなく、却ってそのままがすでに完成された涅槃の相であった。涅槃の真相は世尊の死に見出すべきでない。自らさとった仏陀が他をさとらしめようとして伝道し、慈悲心止むところなく教化活動をつづけられた。これが涅槃のまことの相でなくて何であろう。それは断じて孤独を喜ぶ消極的なものでなく、隠遁静止の極地でもない。自らの心が自在を得たる如く他者にもこの自在を得しめずんば止まぬとして、大慈悲心より積極的活動的にはたらき出るもの、それが真の涅槃であると考えられる。

五

成道がすなわち涅槃を得ることであるから、涅槃を外にして仏陀はなく、涅槃の相は仏陀の生涯を通して見るべきだということを述べてきた。このことは直ちに仏陀というものをどう見るべきかということに関わって来る。

仏陀を覚者というのは法をさとられたからである。法をさとったということは、法を知らぬ煩悩の苦しみからも解脱したことを意味する。従って仏陀という以上は、さとられる法と、さとる智と、さとりによる安らかさと、この三者が完全に一体となっているのでなければならぬ。この三者を術語では、法身（ほっしん）と般若（はんにゃ）と解脱（げだつ）と呼んでいるのであるが、これら相互はそもそもどのような関係になっているのであろうか。

　法をさとると言うが、これは一応さとられる法とさとる智に分けて考えることが出来る。その場合、常識的には、さとられる法は人がさとろうとさとるまいとそうしたことには関係なく本よりあるものであって、これに対して、さとる智の方は後からおこるが故に始めがあると考えられる。しかしよく考えて見るとそういうものではないであろう。さとられる法は、法としてさとられるのであるから、さとられた時においてまさに法であって、さとられる前では法とは言えぬ。つまりさとりの智がこれを法として見るのであるから、さとりの智が法をはなれて起らぬと同様、逆に法もまたさとりの智をはなれては法とならぬのである。もしそうだとすれば、法身と般若とは前後関係のあるものでなく互に他をはなれて単独には成立たぬものであることが知られよう。

　ではさとりの智と解脱との関係は如何。正しいさとりの心が得られた時、そこに自ずから無礙（むげ）自在の安らかさが得られ、自ずからの安らかさは他をも安からしめようとする慈悲心となる。従って智が安らかさの根拠である点で一応は般若の智が解脱の安らかさの前にあると考えられよう。しかし根拠をなしているということは発生が前後しているという意味ではない。何となれば真の智であるかぎり自他を自在ならしめるはたらきを伴わぬような智はあり得ないのであって、換言すれば般若のある所には解脱が必ず伴っているのである。従って般若によって解脱があると言っても、二者は同時存在であり、前後するものではないのである。

　このように考えてくると、法身と般若と解脱とこの三者は不可分にして実は一体であることが知られるであろう。三者は意味の上では互に異るが、前のものが後のものの根拠となりつつ同時的に存立しているものである。それ故にこの中のどの一つをとりあげてみても、その中には他の二が必ず含まれていると言わねばならぬ。

　およそ仏には必ずこの三徳（さんどく）があり、仏はすなわち得涅槃者であるから、三徳は実は涅槃の三徳というべきである。法は永劫に亘って変ることなきものであるから、涅槃は常住でなければならぬ。般若の智は煩悩の汚れなきものであるから、涅槃は清浄でなければならぬ。解脱の徳は自在にして他者による束縛の苦なきものであるから、涅槃は我にして楽でなければならぬ。かくして涅槃は一体なる三徳を具備して常楽我浄なるものということになる。

六

仏はかくの如き涅槃を以て本質とするものである。そのような仏に如何にして死があり得よう。仏に無常を意味する死ありというならば、それはその仏を本質たる大涅槃において見ていないのである。八十歳で入滅したというのは応現である。純陀の供養を受けて病を得られたというのも応現である。応現であるから、それは老病死を免れぬ人を導くために応現せられたに過ぎず、仏自身の本質には病もなく死もない。無量寿であって入滅されることなく、大智力と大誓願力とをもつて、賢愚善悪の別なくすべての人を解脱せしめねば止まぬ、とつとめたまうのである。

　吾々は仏道を行じてかかる涅槃を証せんことを願う。然らば常楽の涅槃は如何にして求め得られるか。これ行者にとって最大の関心事たるべき問題であるが、親鸞聖人は大無量寿経の必至滅度の願と必至補処（ふしょ）の願との意を体して、教行信証の証巻の中に、大涅槃を証することは願力の廻向に籍（よ）ると明断を下された。高嶺の花は如何に清く尊くとも、わけ登る道を誤まったならば固よりこれに接することができない。涅槃の無上なるを思うにつけて、涅槃への道を示された祖師の恩徳を感ぜずにはいられないのである。

法華経

――いかに受けとるか――

一

法華経というは不思議な経である。毀誉褒貶さまざまで、信ずる人はこれでなければ外に成仏の道がないと言うけれども、信じない人はこんな程度の低い教えは稀な位であると思い、中には何だかうす気味悪く感じている人さえないではない。そのどちらが正しいかは別として、古来こんなに広く研究され尊信された経は少い。そして今日でもこの経ほど世人にその名をよく知られた経は他にないと言っても過言でなかろう。法華経を読んだこともなければ、中にどんなことが書かれているか聞いたこともない人が、単にその名を聞いただけで、何等か肯定的か否定的かの感じを持つもののようである。実におかしな話だが、どうしてそうなったか。それは法華経そのものよりも、かって法華経を弘めた人々やまた今現に弘めつつある人々の言動の中に、社会を刺戟するような、異常なものがあったからだと言ってよいと思う。つまりそうした周辺のことから受けとっている先入観念に立って、ただ何とはなしに有難いとか、どことなく近づき難いとかいうような感情が付着してしまったのである。

経典が一般にそうであるように、この経はそうむつかしい理論を説いているのではない。漢文や梵文で読むと文章は語学的にむつかしいけれども、内容は案外単純であり平易である。長者が火事になった屋敷の中で遊びふけっている子供たちを、羊や牛の車を与えると言って巧みに門外へ誘導する話だとか、浮浪児となって家出していた実子にめぐり会いながら、父子の関係をかくして我が子の才能を開発していった長者の話だとか、長途の旅行でつかれきったキャラバンの引率者が前進のために隊員を勇気づける手段として中途に幻の城を作って休ませた話だとか、その他こういう話が数々あって、文学的でもあるが通俗的でもある。だから秩序立った哲学的な理論を期待してこの経を読みかけると、仏教の学問を専問に研究している人でも、「法華経法華経というけれど、なんだこんなことか」と言って頗る期待外れを覚えることがないとは言えぬ。

その上、大地が裂けて塔が湧き出し、その中からミイラになった昔の仏が声を出して釈迦仏の説法を称讃されるとか、耆闍崛山という山で説法しておられた釈迦仏と、そのお弟子たちが、十方から集ってきた無数の仏と一緒に空中へ浮び上って、それからずっと空中で説法がなされるとか、文殊菩薩の教えをうけて仏道を学んだ竜王の娘が、竜宮から出てきて釈迦仏の前に現われ、畜生であり女の身でありながら、みんなの見ている前で仏になってみせるとかいうような話など、奇想天外な事件が次々と説かれている。こんな非科学的な寓話は、今日ではもはやついてゆけぬという声も聞かれよう。いわんやこの経を信じ弘める者の功徳を説くだんになると、この経を読む者は病気にかからず顔色がよく、貧乏にならず人に慕われるとか、観世音の名をとなえると縛られていた者でもたちまちに鎖が切れるとかいうようなことなど書かれているので、現世利益（げんぜりやく）に盲目的な人々はただそれ故にこれを信じようとするし、それに批判的な人々にはこうした記述のあることがかえって逆効果となってくる。

　しかし、今言ったようなことは、何もこの経だけに限ったことではない。どんな経にも多かれ少かれ見られる所である。ただこの経ではそれがかなり強度にでているというのに過ぎない。こういうことに対して、正しい理解が持てぬようならば、法華経に限らずどんな経も同じように理解できぬことになる。だから経典を読むにはすべて経典に対する見方というものがあって、表現とそれによって意味せられるものとの見わけがつかぬようでは、経典の精神はつかめぬのであり、その用意をもって経にのぞむということは批評以前の問題であることを知っておいてかからねばならぬ。ところが往々にしてそうした配慮を全く持ちあわせず、表現の文字そのままを事実視し、それが自分に都合がよいと信仰し、都合が悪いと非科学的だとか卑俗だとか言って非難することが多い。表現には、色々の約束もあり伝統がある。また譬喩も、それが何を喩えたものか、主張の中心がどこにあるかということになると、必ずしも万人一致した結論が出るとは限らぬ。結局は、多くの経典を読み、インド思想の性格についての基礎知識を持っことが必要だということになる。また解釈は、その解釈者の時代精神や個人的経歴や、その他もろもろの素因によって性格づけられるものである。故に多くの解釈が分れたとしても、どれが正しいとかどれが誤まっているとか容易に断定できるものではない。われわれは自分自身の姿を見つめ、その自分との関連において、こうとしか考えられぬというところに結着をおくより仕方がないのである。固陋であったり、偏狭であってはいけないが、自己に忠実であるということは信仰の世界では最終的な態度でなければならないと思う。

二

法華経が終始一貫して説こうとしているところは仏の慈悲である。仏とは何を目的とし、何を説こうとしているのかというに、それは愚かさと苦悩とに満ちている人類を愍み、それを一人残らず、正しく人生の真実を見つめもはや苦しみから解放された人間にしようということ、それが仏の願いであり、ひとえにその目的を達するために仏は人々の力に応じたさまざまの教えを説かれた。されば枝葉末節にとらわれず仏の本意を知らねばならぬというのがその趣旨であった。専門的な術語でいうならば、諸仏は一大事因縁の故に世に出現される、その一大事因縁とは、衆生をして仏知見に開示悟入させるためである。それ故に三乗の教えは方便であって、一乗こそ真実であると説かれる。こういうように術語で言うと大変むつかしく聞えるが、その意味は前述のごとく、仏の本意を明らかにするにあり、仏教の一大理想をすべての人々に徹底させることにあった。けっしてむつかしい理論を教えたり、人の権利や義務を説いているのではないのである。前に言った火事場の話も浮浪児の話も、実は、人生を宗教的にながめるならば火事場のようだと言い、仏の慈悲を知らずに苦悩の生活をつづける人間は浮浪児のようだと、出来るだけ平易に説明されたのに過ぎない。ミイラの仏が釈迦仏の説法を称讃されたというのは、この仏の慈悲を説く教えが古今にわたって変らぬ普遍の法であることを意味したものであり、竜王の娘が成仏したというのも仏陀の慈悲の前には人間も畜生も男性も女性も区別されることがないことを表現したものであった。その他今一々について表現の意味をここで説明することはできぬけれども、法華経の精神が、仏の大慈悲心を力説し、それを普及させるにあることは否定できない。人によっては別な見解を持つ人もあろうが、三十余年来乏しいながら古い聖賢の指導を通して法華経を学んできた私としては、この経の根本思想をそのように理解する以外に全く別な見方はないと思う。けつしてそれが正しくて他は誤まっているというのではない。私には右のようにしか了解できないというのである。

さて法華経はそのようにすべての人類を一人も漏らすことなく救うという仏の願いを説くものであるとして、その趣旨を明らかにする上に二つの観点があった。一つは教えという観点からであり、一つは仏身という観点からであった。教えという観点からは一乗ということが主眼となる。すなわち、仏はすべての人々を救うことを目的とする以上、最も愚かで最も力弱き者をいかにして救うかということが先決問題でなければならぬ。そこで愚かで力弱き者を救う道が説かれるけれども、それはそれ故に低いつまらぬ教えと解さるべきでなく、仏の偉大な願いと力に裏付けされて設けられた教えであるから、人々はそれを自分の力で実践する修行のごとく考えず、そこに仏の願いがあることを知りそれを仰ぎ信じてゆかねばならぬ。そうすれば最も愚かで最も力弱き者をも含めて、すべての者は一人残らず仏になることができる。この意味において仏の教えはどんなに多くに分れ、またどんなに低いものがあるごとく見えても、すべては仏になる教え一つであるということになる。このようにして結局、仏教は智愚善悪の別なくすべてが救われるという一つの教えであるということを一乗というのであって（乗とは教えの意味）、一乗は権利や資格としての一乗でなく、慈悲をむねとする仏の本願による一乗なのである。

次に仏身という観点からは久遠の仏ということが主眼となる。仏といえば、八十才で入滅せられた釈尊をわれわれは通常まず第一に考える。肉体によるのか、さとりによるのか。しかし、釈尊を仏というが、釈尊が仏と言われるわけはどこにあるのであろうか。肉体はわれわれと大して変るとは考えられない。さとり、それはさとらせようとする願いを含んだものであるが、そうしたさとりを外にして釈尊を仏と言うことはできぬのであって、そのさとりは釈尊にのみあり、他の何人にもない。そうしてみれば釈尊を仏というのは、そのさとりあるがためと言わねばならぬが、そういうさとりは釈尊の肉体とともに生じ肉体とともに滅してしまうものであろうか。そうは考えられない。肉体は八十歳で滅したとしても、そのさとりは不滅のものに相違ない。不滅のものだということは生滅する現象的なものでなく、現象の背後にあって現象をして成立たしめるものだということである。だから釈尊が現象の世界に現われて法を説かれたというのも、もとは現象のかなたに不変なさとりの本体たる仏があって、その本体から本体の願いを知らせるために釈尊という肉体を持った仏が現われたと見なければならなくなる。法華経ではその根本の仏を霊山に常住なる釈伽仏だという形で表現されている。そうした久遠の寿命を持ち、すべての人々を救うことを願いとする根本の仏を何と呼ぶのがよいか。普通われわれは、そういう仏を阿弥陀仏という名で呼んでいる。阿弥陀仏こそそうした根本の仏ではなかったか。もしも法華経の中で久遠の本仏を説くところに阿弥陀仏の名が出ていないからそれとは別だというならば、そういう見方は名にとらわれて実を見ぬものと私は評したい。阿弥陀仏がすべての人を残らず救おうとせられる仏であるということは、人類の存続が無限であるに応じて、仏の生命も無限であることに関連したもので、その無限なる生命の仏のことをインドの古語（梵語）では阿弥陀仏というのである。

三

以上のように考えてみると、阿弥陀仏の本願を説く無量寿経と一乗及び本仏を説く法華経とは、通常何か対立するごとく考えられ勝ちのようであるが、根本精神においては全く変るところがないということがわかった。しかし、そうならば全然同じかというに、全然同じならば無量寿経と法華経とを別に説く必要はないはずであるから、この二つの経が別にある以上、二つが別に説かれねばならぬ意味があったに相違ない。それは何か。端的に言おう。法華経は、仏教の目的はすべての人を救うにあって、すべての教えもすべての仏も皆これを達成するためであることを説いた。しからば、そのすべての人が救われるためには仏の本願をいかに信じたらよいか、また根源である本仏の弥陀にそうした本願があるということを明確にしたものがあるかどうか。そういうことが次の問題になる。それを明らかにしその問いに応えたのが無量寿経であった。かくて法華経と無量寿経は、前者は原則を明らかにして、後者はその原則の具体化を示したものと思われる。原則は大切である。しかし、原則は具体化されることによって、現実に力を持ってくる。私は親鸞聖人が法華経を学ぶ比叡山で修行した後に、法然上人の門下に入って念仏の信者となられたことに、けっして偶然ならぬものあるを覚える。親鸞聖人は教行信証など撰述の中に法華経を御引用になっていない。御引用になっていないということは、無関心であったとか反感を持っておいでになったということではないと思う。法華経を学ぶ他の人の受けとり方には聖人として納得のいかぬところがあったに相違ないが、法華経そのものに対しては些かも反撥を感ぜられるようなことがなかったであろう。それに触れられることが少なかったのは、五時八教という型にはめて法華経を見る天台宗の見方が当時の宗教界で余りにも深く固執されていたために、それと異る見解を主張していたずらに原則論で比叡山と磨擦を起すよりは、現実的な具体化である実践の念仏を明らかにする方が、より急務と信ぜられたためではなかろうか。聖人の本意を軽々に推度することは許されぬけれども、今の私はそのように考えている。われわれは法華経を誹ったり、拒んだりすべきではない。むしろ凡愚の救われることが法華経の中で明らかにされた以上、進んでその凡愚の救われる道を明らかにされた無量寿経の深意を領受することがかえって法華経の本旨に沿うことを知るべきであろう。すなわちとくに法華経を読誦したり受持したりしなくても、無量寿経によって念仏の本願が信受せられたならば、法華経の精神は自然に随順され、領得されたことになると思うのである。

天台大師の五時教判に従って無量寿経は法華経以前の所説であるから方便説であるという意見や、念仏を信ずるものは法華経を誹謗するものであり、従ってさようなものは地獄へ堕ちるという見解など、こういう説が世間には往々行われている。しかし、天台大師に五時教判があってもそれは天台大師やその流れを汲む人々のみの信奉するところであり、法華経の中にも無量寿経の中にもそういうことは全然記されていないので、われわれがそれに盲従しなければならぬ理由はない。また法華経を誹るものは地獄へ堕ちるということが経の中にはあるけれども、法華経を誹る者というのは仏の本願を信じないもののことであり、そういうものは苦悩を深くするという意味を言ったものであって、念仏する者は法華経を誹るものであるとは書かれていないし、またそう書かれるはずもないのである。故にとかく経典に書かれていないことを根拠にして、この経を信じたり嫌ったりするというようなことは、大いにつつしみたいことであると思う。

四

大乗経典の中には、その経を受けて大切にしたり、読んだり、研究したり、写したり、弘めたりすることを奨励し、そうすることは大きな功徳ある行為であると説いていることが多い。経典が大事な問題として何事かを説いている以上、そのことの記されている経典が尊重せられ、研究せられ、普及せられることが望ましいのは当然である。それで多くの経典でそれぞれの研究や普及の奨励が併せて付記されるのであるが、それについて功徳があるといわれると、とかく世間ではその意味を誤解されることが多い。功徳というのは、ある行為をしたときそれによって善い結果が自分に帰ってくるのをいう。だから功徳というのは、自然にそれによって得られる善い報であり、特別に因果法則の破壊のような奇蹟を指すのではないのである。ところが病気が治るとか危難を免れるとかいうようなことだけが功徳と解されているようだが、本来はそれらは象徴的、もしくは第二義的なものであり、仏教の説く功徳としてはどこまでも宗教的であり、出世間的なものであることを忘れてはならない。このことを法華経について述べてみよう。

　法華経によると、仏の説法を聞いた弟子が、私はいまだかって聞いたことのない尊い法を聞いて疑いがはれ身も心も安らかになった、と喜びを述べている。こういうのが本当の功徳というものである。現世安穏（げんぜあんのん）・後生善処（ごしょうぜんしょ）という語も説かれているが、それは信仰生活にある人は、現在の生活に安んじておることができ、将来に対しても不安を感ずることがないという意味である。諸仏に護念せられ、諸天に衛護されるとも言われている。それは諸仏の本願を説く経であるから、諸仏の本意にかない、仏法を護ることを使命とする諸天にとってもまた喜びとするところであることを示すものである。しかし、ここまではよいが、それ以上になると少々首をかしげたくなるような説がないではない。例えば、この経を聞くように人に勧めた人は、次の生（しょう）で立派な乗物や立派な住処が得られるとか、あるいは風采容貌が理想的で口の病気にかからぬとか、一切の苦や一切の病痛を離れしめるというようなことが言われ、はては病気のある人がこの経を聞けば病がたちまち消えて不老不死になるというようなことまで説かれている。これなどは文字通りに受け取ると、はなはだおかしなことになる。立派な乗り物や立派な住処は誰しも好むもの。風采がととのい口の病気もないということも願わしいことであるが、ことに病気が治って不老不死になるというようなことになればおよそ人間で老病死を免れるものはなく、生きる者にとってそれは本質的な悩みであるから、これを聞いて心動かぬ者はあるまい。そうすれば、これは法華経が人間のギリギリの願望を持ちだして、この経普及の手段にしたと見えぬこともないようである。しかし、果してそう理解してよいものであろうか。

　ここで私は、功徳ということについて、われわれ自身、もう一度考えなおしてみなければならぬことを痛感する。一体功徳とか罪報とかいうのは、われわれがなした行為を誰か審判者がいて判断し、それに対する賞典もしくは処罰として与えるもののように考えられているかも知れぬが、実はそうではない。みな業報（ごうほう）の自然として自ら招くものなのである。故に人に対して悟りの世界へ運ぶ乗り物としての教えを聞かせたり、また安住の境地へ導いたりした人が、自身もそうした乗り物を得たり安住の境地に達することを、象徴的に事実的な乗り物や住処で表現するということはきわめて普通のことである。風采容貌が理想的で口の病にかからぬということも、信仰の人にはおのずからなる人格が表面へにじみ出るであろうし、信仰に心なき者が身体的な問題で悩むような病というものは、そういう人にとって苦痛にならぬという意味であろう。ましで病即消滅不老不死というようなことは、生老病死が越えられるという理想の涅槃において、生理上の生老病死が事実上なくなるというのでなく、生老病死は依然としてありながらそれがもはや不可避的苦痛としてでなく、充実した生活をするための生命のはたらきという意味を持つものであることを思いおこせば、そのように病即消滅といわれることの真意をも自然に理解されるであろう。もしそのことに思い至らずして、信仰すれば病気が治ると考えるとしたならば、それは誤りである。また法華経が事実そのように説いているので、法華経は非科学的だというならば、それはそう解釈する人の誤解であり、そのような人は最初から仏教でいう生死の意味を考えぬものと評されても仕方がない。さらに非科学的な奇蹟があるからなお一層ありがたいといって信ずる人ありとすれば、そういう立場は生死に固執し人生の意味をまだ考えようともしていないのであり、これは仏教以前の立場から一歩も出ていないものだといってよいであろう。

五

すべて法を弘めるには、法の尊さと法の功徳を知らせる必要がある、それと同時に法を弘めるにあたっての心がまえを身につけさせることも大事である。それで法華経の中にも、この経を人に向かって説こうとする場合の用意が語られている。通常、弘経の三軌と称されるのがそれであって、それによるとこうなのである。仏の亡くなられた後に、人に向かって法華経を説こうとするならば、如来の室に入り、如来の衣を着て、如来の座に坐して説くがよい。如来の室に入るなどというのはどういうことかというに、それは仏間に入って、法衣を着て、高座に上って説くということではない。仏はすべての人に対する慈悲心の中に住しておられるから、そうした心が如来の室であり、また仏は柔和で毀誉褒貶に動かされぬ心を身につけておられるから、そういう心を如来の衣と言うのである。また仏は、どんなことにも我見を以ってとらわれ執着することのない空に安住しておられるから、これを如来の座という。だから如来の法を説くには、如来と同じく人に対する心からの慈悲心で説くべきであって、他を憎み他に勝とうなどという気持で接してはならぬ。また他を信仰へ導くためには和やかな態度を以ってのぞみ、どんなに辱かめられさげすまれてもたえ忍ぶだけの心の強さが必要である。そしてかりにも我と彼との区別にとらわれ自分の考えだとか自分の仲間だとかいうような執着心があって、そこからものを言うというようなことがあったならば、その説くところはいかに立派であってもとうてい人に信受せられぬというのである。これは法華経を弘める者の心がまえとして説かれているけれども、なにも法華経だけに限ったことではない。仏の慈悲本願を人に伝えようとする者ならば、何人といえどもこれに反した態度をとることはできぬはずであり、浄土教徒にとっても深く反省すべき戒めではないであろうか。

法を説くには大慈悲心という如来の室に入って説けと言われる。それは如来と同じように自らも大慈悲心をいだいて説けということのようであるが、如来の大慈悲を喜ぶ身となって説けという意味にも解されるようである。真に仏法を喜ぶ人には、自分が大慈悲心を持っているというような自覚も自負心もあるはずはない。なぜなら、真の大慈悲心は仏においてのみあり、自ら凡夫の姿に思い至るならば、「小慈小悲もなき身にて有情利益はおもうまじ」ということにならざるを得ぬからである。そして人々は仏の大慈悲心を仰ぐ時にのみ、自らは意識せぬながらも慈悲の行願が仏よりあたえられるものとして自然にでてくるのである。柔和忍辱（にゅうわにんにく）ということも、自分で柔和忍辱を努めようとしてそうなるのではない。自らの罪業の生活を顧みたならば他を責める勇気は出ないで、そこに思い至ったとき自然に他人に対しても柔和な態度をとらないでおれぬようになるであろう。一切法空に至っては、われわれがどんなに努めても法空の境に達し得るものではない。人間の無力を諦観（たいかん）して仏力にまかせきったとき、そこに開けてくるのであろう。このように見てくると、法華経では室衣座の三軌を説かれており、行者の心がけが教えられていることではあるが、それの徹底した現われは念仏信者の信の一念に基くものであると考えられる。もとより自分が高い地に立って正しさは自分にのみありと信じ、人を教え人の誤りを正してやろうという姿勢を、法華経が毛頭も期待しているのでないことはいうまでもないのである。

くり返していう。法を説く者にはその法にかなった説き方がある。平和を望む者が戦闘的に闘諍するのは、騒がしさを静めるために怒声をはりあげるようなものである。仏の慈悲を喜ぶ者やまたそれを伝えようとするものが対立的抗争的になったとしたら、火を消そうとして油を注ぐようなものだと評されても仕方がなかろう。真の慈悲は慈悲を意識せぬところにのみ存する。それは仏の大悲に照されて、自らの心をふりかえるところに芽生えるのであり、慈悲を意識せぬということと、慈悲心なく慈悲に反するということとは全く別であることを知らねばならない。法華経には戯れに幼児が砂で塔を作ったり爪で仏像を画いた者も成仏すると言われている反面、修行のはてに我れ悟れりとの確信を持つに至った者（阿羅漢（あらかん））に対しては仏道は汝等の知るところでないと戒められている。法華経にはこんなにも明白に人間のはからいが無効なのを知らされている。仏力の不思議は、凡夫のはからい及ぶところでないことがかくも深刻に示されているのを知るに及んで、法華経は仏教の一部の人々に対する教えでなく、念仏者をも含めて全仏教徒の深く心すべき道を説かれたものであることを、今日改めて気付かされるのである。

（雑誌「真宗」昭和四十年九月号所載）

差別と平等

如何なる宗教も平等と差別との二つの原理を併せ持つのでなければ健全な宗教とは云えない。救いの手はあらゆる者に向って平等に差し延べられ何人も同じように救われ得るという根拠が明らかにされねばならぬが、反面また救いは理想への到達であるから理想と現実との間に明確な差別が自覚されねばならない。理想的には、特定の者―智者賢者―のみが救われるような宗教であっては困ると同時に、現実的には、我々の生活が救いから遙かに遠いものであるという実態に目を蔽うような宗教であってはならない。前者を平等思想といい後者を差別思想と呼ぶとするならば、我々は仏教の中にも常にこの二つの思想があり、一乗と三乗という名において久しく信仰及び教義の上に大問題として論ぜられてきたことを認める。

一乗仏教よりすれば、真理は一であり何人もその中にあって生きているが故に、この平等絶対なる真理を悟る限りすべての人が同一資格の仏陀となり得る筈であって、その間に差別を設ける理由は全くないという。これに対して三乗仏教よりすれば、真理は一であってもこれを悟ることはすべての人に可能なわけでなく、特定の者のみが能くこれをなし得ると云う。今日我が国で信ぜられている宗派はほとんど全て一乗仏教であり、唯だ一つ法相宗のみが三乗仏教である。俗に人の死ぬことを仏になると云い慣わしているので知られるように、一乗の信仰は広く深く民衆の間にまで浸透しているが、反面には、法相宗の如く、如何に努力し修行しても絶対に仏となることができぬ者もあると説く教がある。この二つの思想は互に自説を真実とし他方を方便説として争ってきたが、我々はこれに対してどのように考えるべきか。それには両思想の由って来る根源を知ることが必要である。

初めに一乗思想の根源として、次の諸点が挙げられる。

一、真理の絶対性　釈尊は人生の真相たる真理を覚って仏陀（覚者）となられたが、その真理は釈尊の出世と否とに拘らず久遠の昔より永遠の未来に亘って存続し、全宇宙全世界にゆきわたつて変ることなき唯一絶対なるものである。しからば、釈尊がこれを覚って仏陀となられた如く、他の何人もこれを覚ることによって同じ仏陀となることができると言わねばならぬ。

二、仏陀の教化目的　釈尊は成道の後五比丘を教化せられたのを始め、五十年間、法を説き人を導かれた。これは釈尊が、自ら解脱涅槃を得られたように、他の全人類に皆同じ解脱涅槃を得させようとせられた為に外ならぬ。釈尊教化の目的からいって、未だ覚りを得ていない者は悉くその教化の対象となったと考えられるから、その根抵には惑っている者が残らず覚り得る可能が予定されていると言えるであろう。

三、教団の解放的性格　仏教の教団（僧伽）に入るためには、男女の性別や教養の高下は問う所でなく、種族の差異や階級の不同は問題とされなかった。僧伽には同信一味の僧衆があって、年臘による秩序維持以外には何等の階級差別が設けられていない。仏陀は僧伽の支配者でなく、僧伽の一員であった。

四、覚りの一体性　覚りは知識ではないから、覚ったか覚らぬかの何れかであって、量の多少を論じ得ぬのは勿論、完全なる覚りに対して不完全なる覚りという如きものがあるとは考えられぬ。それ故に、釈尊の教を受けて覚った以上、その覚りは釈尊と一体一味であり何等差異ありとは考えられぬ。

五、行法の普遍性　釈尊が成道せられる際、その覚りに到達された過程は禅定によって精神を統一集中し、人生の実相を諦観するという行法によられた。これは唯一絶対なる真理に冥合する行法として何人にも望み得られる所であり、その実修が性来全く不可能な者ありとは信ぜられない。求道心の有無如何に係る問題である。

これに対して、三乗思想の根源となるべきものが、また仏教の中に本来伏在していたことも忘れてはならない

一、迷悟の絶対的相違　仏陀は覚った者として唯一の存在であり、それ以外の者はすべて迷っている者であるが、迷と覚りとの相違は絶対的なものであるから、仏陀のみが無上士であり独尊である。故に未だ教団に入らぬ者は固より、已に教団に入った仏弟子といえども、未だ覚りを得ぬ限りは仏陀と同等であり得ないことは明らかである。

二、師に対する弟子の情　仏弟子中で既に涅槃を得た者ならば師弟一味の覚りを得てその間差異あるべき道理はないと考えられるが、しかし仏弟子が涅槃を得たのは仏陀の教化に因ったものであって、師弟の関係は覚った後といえども消え失せるものではない。師教によって涅槃を得た者が師の恩徳を思って、自己を師と同一の地位に在りと考え得ないのは当然である。

三、覚りに至る径路の不同　釈尊は他人の教を被らずいわゆる無師独悟に因って涅槃に到達されたが、仏弟子は自力では覚り得ず師教を俟って初めて覚った。また釈

尊は成道の後他人を覚らしめるために余生を捧げられたが、仏弟子は仏陀釈尊の教を説く以外に自己自身の教というものを持たぬ。されば無師独悟と教化衆生とを性格とする仏陀と、その何れをも有せぬ仏弟子とが、全く異る資格のものであることは争うことの出来ぬ所であろう。

四、機根観察力の有無　悟りは一つであっても、これを説いて教化するに当っては聴者の素質能力を考慮して、実際的に効果を挙げ得るような配慮がなされねばならぬ。従って仏陀の教は種々に岐れても究極的には帰一するものであるが、仏弟子にはそのような力の完全さは期待出来ず、彼等の目より見れば教は浅深別異な道に岐れているように感ぜられる。

五、教化上捨置せられる者の存在　釈尊は教化するに当りその相手に適合する何等かの手懸りを見だしあらゆる手段を講じて法を説かれたが、しかし如何にしてもその教化を受け容れようとせぬ者もあったようである。そこでかような者に対しては、教えず誡めずおのずから求道心が芽生えてくるのを待ち暫く放置して機会を待たれた。この事実を一面的に見るならば、仏陀の教化も及ばぬ一類の宗教的無能力者が存在するという見解を可能ならしめる。

かようにして仏教の中には平等思想としての一乗と差別思想としての三乗とが生じた。概して覚者教師の立場に立てば一乗となり、弟子求道者の立場に立てば三乗となるのである。しかしこの二者は必ず互に補い互に助けるべきもので、何れの一方のみでも正しくない。古来の仏教信仰は何れを表として何れを裏とするかの別はあっても、必ずこの両面を持ちつつ伝わってきた。根本仏教では一乗と三乗とのへだたりはなかったが、仏滅後日を経るに従って重点に別を生じ、部派仏教では弟子的立場に立つ信仰内容の固定化から三乗差別の教義が成立し、大乗仏教の興起以後はその大小乗兼修的傾向を脱却するに及んで仏陀の立場への復帰を叫ぶ一乗平等の強調となった。しかし現実と理想とのへだたりを説くことの重大さが意識されるようになると、大乗仏教の中でも三乗差別を力説する瑜伽派が起り、それはやがて密教の擡頭と共に一乗平等を重視する方向に向った。しかもこれらの展開を通じて二つの思想は単に表裏をなすに過ぎず、決して分離していたのでないことを忘れてはならない。

例えば涅槃経は一乗を強調する大乗経典であるが、この経も初めの中は一切衆生に仏性があるから煩悩を断じてみな成仏する、唯だ一闡提（いっせんだい）のみは除かれるといって、一乗平等への例外を設けていた。一闡提とは、あらゆる善の根本にして宗教に入るの関門たる信ずる心のない者である。このように不成仏の機の存在を説く、これは三乗差別思想の現われである。然るにその同じ涅槃経も、後には、発菩提心して一闡提の地位を離脱すれば成仏することが不可能ではないとした。愛児の死を悼む父母は自分もその後を追おうという切なる念を懐くように、菩薩もまた一闡提を憐愍して、彼等が受苦の時一念でも改悔(がいけ)の心を生ずるならば我れその機に乗じて説法し一念の善根を生ぜしめようとする極愛一子地(ごくあいいっしじ)に住する、という。これ明らかに一乗成仏思想の強い叫びではないか。

　これを浄土教において見れば、我等は罪業深重(ざいごうじんじゅう)・煩悩具足の凡夫にして何れの行も及び難き身と信ずるのは、これ差別思想としての三乗の面であり、しかも弥陀の願力はかかる機までも救いたまうが故に凡夫も報土に往生して弥陀同体の覚りを開かしめられるというのは、平等思想としての一乗の面である。三乗のある所に求道心が燃え、一乗のある所に安心立命が得られる。かくてこの両面がそなわつて初めて宗教は力あるものとなるのである。

仏教と女性

一

摩訶波闍波提というのは、釈尊の養母で女性としては最初の仏弟子となった人である。いわば比丘尼の第一号である。釈尊をめぐって名の知られた女性は、まず実母摩耶夫人、王妃耶輸陀羅を初め、在家の時代と出家の時代とを通じて相当沢山あるけれども、仏教で女性をどんな眼で見ていたかを知るためには、摩訶波闍波提がはじめて教団に入った時のいきさつを見るのが一番よい。

世尊が舎衛国の祇園精舎に在した時のことであった。前に出家して弟子に加えられたいと願って許されなかった摩訶波闍波提は、多くの女子と共に、遊行される世尊のみあとを慕ってはるばる祇園精舎までやってきた。門外に立つた時、歩き疲れて脚は傷つき身は塵にまみれている。しかし出家求道の志に燃えるこの老女は、髪を剃り袈裟をきて、涙を流して入道を懇請した。だが世尊はどうしてもお許しにならない。この時、純情な若い弟子阿難（あなん）がついに見かねて、間に立ってとりなした。世尊からすれば、この摩訶波闍波提に於て養育の恩義あるを説き、阿難が懇々とお願いしたので、漸く聴許せられることになったのであるが、その際世尊は次のやうに仰せられた。稲田長者の家に男子が少くて女子が多ければ、その家はやがて衰微するであろう。ちはよくみのっていても、霜がおり雹（ひょう）が降ったならば、忽ちに枯死するであろう。ちようどそのように、女性が出家して教団の中へ入るならば、仏法を永久に伝えることはできない。

こうして八ヵ条の条件がつけられ、女性たる摩訶波闍波提は初めて比丘尼として入道することを許されたのである。世尊は重ねて、女性の出家を許したために仏法の存続が五百年間短縮されることになったと、仰せられた。人の世の恩義も忘れてはならぬが、正法もどこまでも守りつづけねばならぬ。この厳しい現実に直面して、願はかなえられたが、阿難の心は悶々たる憂悩の涙に沈んだという。

さてその時の条件八ヵ条は通常〝八敬法（はっきょうほう）〟と称されるものであるが、その中には、百歳の老比丘尼（女性の出家）といえども後輩の比丘（男性の出家）に対しては終生尊敬を払わねばならぬとか、比丘は比丘尼の過失を追及し糾弾してよいけれども比丘尼は比丘の過失を追及し糾弾することが出来ないとか、比丘尼となるためには比丘の教団から受戒しなければならぬとかいうようなことが挙げられている。

以上の点だけを見ても、女性が男性に比してひどく差別待遇を受けていることが知られる。寧ろ厄介物扱いされていると言える。ではどんな理由でこんなにまで男女の間に差別を立てねばならなかったのだろうか。差別は絶対的なものなのだろうか。

二

その後比丘に対して比丘尼があり、準備期間として比丘に沙弥(しゃみ)があり比丘尼には沙弥尼があるというように、男女両性が対照の形を以て出家教団を作っていった。戒律も比丘と比丘尼とは別々に制定された。しかし比丘尼教団の構成員は、比丘教団のそれに比べて、比較にならぬほど少数であった。そのうえ成立の順序からいっても比丘の方が前で比丘尼の方が後であったことは先に述べた通りである。このように比丘教団の方が前にできて実際上人の数も多いとすれば、その点だけから考えても、教団の規律が大体において比丘中心となり、すなわち男性本位となるのは止むを得ぬことと言えるであろう。

まず比丘たちは出家して清浄な生活を送っているが、彼等の中には多情多感な青年もおれば、妻子をすてて入道した者もいる。彼等が堅固に道心を維持するのは容易なことではないから、世俗的な愛著を促す根元となる懼のあるような環境は、できるだけ警戒し防止しなければならぬ。特に異性の集団を身近かにおくということは、比丘たちにとって一番危険なおとしあなとなり、一たんこれが誘惑に敗れるならば、愛欲の狂暴な力は修道を根柢から覆してしまう。世尊はそれを憂慮されたのである。

世尊が比丘尼教団の発生に対して躊躇せられたのは、こうした現実的の事態に対する危惧があった為に相違ない。即ち比丘と比丘尼の接近によって起り得る混濁から、厳然と正法の純粋さを守ろうとせられたためであろう。これを以て女性に対する差別観だとか女性を蔑視したものだといって非難する前に、何故に躊躇し何故に差別せられたのか、その真意をまず考えてみなければならぬのである。

果して世尊のこの憂慮この危惧を裏づけるかのように、比丘尼教団の成立は比丘教団に対して色々な問題を投げかけた。熱帯の地方での強い官能的な刺戟は、禁欲梵行の生活をつづける比丘たちの心をどんなに悩ましたことであろう。もちろん、修道に精進する志操堅固な人々には、かえって鍛錬の機会となるかも知れぬが、感傷的な性格の人には徒らに在家生活への郷愁をそそる因となる。律蔵の中に性に関する制戒が多くなっているのは、こうした理由によるものであった。一、二の例を挙げよう。

蓮華色という比丘尼が、ある時比丘たちのいる山へ食事を運んで行った。その時比丘の中にやぶれた衣を着ているものがあったので、蓮華色尼は自分の着ている高価な衣を脱いで与え、衣を交換して着換えたという。迦留陀夷と偸蘭難陀尼とは、どちらも美男美女であったから、互に思を寄せあっていた。ある時迦留陀夷が、自分の汚れた衣を偸蘭難陀尼に洗わせたという事件も起った。これらは教団内外で問題となったので世尊より厳戒せられて、戒律として大衆に制止せられる原因となったのである。

こうした問題は屢々教団内に波瀾を起したが、一たん尼衆教団の成立を聴許せられた以上、世尊はそのことのために比丘尼教団を閉鎖しようとはせられなかった。問題のおこる度に訓誡を与え対策を講じて現実に即した処置をなされた。世尊が比丘尼教団の成立をお許しになったのも、理想と現実との何れにも片よらず、現実を一歩一歩理想に近づけようとせられた実際的立場の現われと見るべきものであった。

女性は感情に走り易い。それに比べて男性は理性的である。もし、比丘尼にも比丘の過失糾弾が許されたならば、ことの判断が感情によって左右されるおそれがある。この点で、比丘教団には比丘尼の過失糾弾を認めて、比丘尼教団には比丘の過失糾弾を認められなかったことが、人情の機微を察した深い思慮によるものであったことを知り得るであろう。

前に述べたように、摩訶波闍波提が出家を乞うた時、世尊は、長者の家に男子が少くて女子が多ければその家は衰微するであろう、と仰せられた。これはどうみても女性が男性と対等に見られていた証拠にはならない。家の繁栄は男子によるというのだから、繁栄のために役立つことのない女子ばかりが多いということは、歓迎されぬ結果となるのである。

しかしここで注意しなければならぬのは、これは例証であるということである。例証は誰にも認められるような世間一般の常識的立場に立つものでなければならない。従ってこの場合の引例も、それは当時の社会において女性がはなはだ軽んぜられていたことを示すものであり、女性を軽んずることが世尊の本意であったというのではないのである。

三

一般に仏教で女性のことが問題にされるときは、いつもきまって五障三従ということがいわれる。五障については後で述べるが、三従という語原はもと礼記や孔子家語などの中国の古典に出ているところで、すなわち婦人は幼にして父母に従い、嫁しては夫に従い、夫死しては子に従うという点から三従というのである。もっとも同じ考え方は中国だけでなく、インドにもあった。インドで古くヴェーダ時代には女性も男子と同格で女流思想家の活躍が見られるが、一夫一妻時代から一夫多妻時代に移るにしたがって、女性の地位は甚しく低下した。仏教の興ったのは、そのような女性の地位が低落した時代である。女子は不信なりとそしり、女子は汚濁なりとさげすまれた。幼にして父に保護せられ、若くして夫に保護せられて、老いて子に保護せられる、故に婦人は独立に適せずとは、印度古代の生活を規定した法典が明言する所である。

従って、仏典でもしばしば三従を説くが、その趣旨は、婦人は終生人に従うべきものだといって従属服従を勧奨しているのではない。世間では、婦人は人に従うべきものとしているから、その不自由な状態に対して自覚を促し、その憐れむべき地位に同情しているのである。

こういえばきっと反駁が起るであろう。比丘尼教団はどうか。八敬法の中に明かなように、比丘尼教団は比丘教団への服従が要求されている。これ明白に仏教も、女性の男性に対する従属を認めているではないかと。確に、仏教も女性の男性に対する従属関係を認めている。しかし仏陀がこのような関係を認められたというのは、社会通念に一往順応されたのである。それがあるべき理想的なまた正当な形であると考えられたためでなく、社会一般がそういう機構をもつて動いているので暫くそれに随順されたのに過ぎない。

なぜなれば、仏陀は元来宗教家であって、社会改良家ではない。固より社会の不公正・不平等な状態は是正しなければならぬが、宗教家としての仏陀には、何よりもまず男女の別なくすべての人を同じように宗教の世界へひき入れることが重要であった。この究極の目的を達成するためには、実際問題において必ずしも社会通念と対立しそれを真向から拒否してゆく行き方が効果的とは限らない。かえって世俗の立場を仮に認めてかかる方が、世間から出世間へ誘導する必須の方便となる場合がある。そして第一義の覚りにおいての平等が達せられたならば、その時にこそ、世間においての男女の差という如きことは全くとるに足らぬ問題であり、絶対的な尊厳において何等異ることのないのを知るに至る。仏陀は常に急激な改革を望まれなかった。それは世俗と妥協せられたためでなく、実は根本的な所に問題解決の原理を求めさせようとせられたためである。

四

男子と婦人とを比較して、どちらがより不道徳でどちらがより善良であるか、私はそれについての公平な判断をどのように下すべきかを知らぬ。しかし仏典には、女性にとってはなはだ不利に書かれていることが多い。二、三の例を挙げよう。

世の中には八種の力がある。流涕は小児の力である。憤怒は婦人の力である。兇器は盗人の力である。主権は王者の力である。傲慢は愚人の力である。謙遜は智者の力である。沈思は学者の力である。温情は梵行者の力である。

婦人は五力を有して夫を軽んじあなどる。容貌と、親族と、財産と、子供と、自負心と。婦人は、その身不浄にして、口には悪を好み、言う所と考える所は反覆常なく、嫉妬の情が強くて、ものおしみの心が強い。しばしば瞋り、しばしば妄語を犯す。しかも軽卒にものを言い、軽卒に事をなし、常に外出し遊び歩くことを好むと。

頗る辛辣で世の淑女諸姉に対し何とも申訳ない次第であるが、事実このように仏典に書かれているから御容赦願いたい。では男性が横暴で女性を軽蔑しているとも思われるようなこうした批評が、どうして仏典に出て来るのであろうか。先ず心を落ちつけて、仏陀がこういうことを説かれた真意を一緒に考えてみることにしよう。

仏陀は大慈悲者である。人間的な愛憎の情をもつて人に接せられることはない。況んや婦人一般、女性一般に対して、特別に嫌悪の念を懐かれる理由は全くないのである。かつて王宮に家庭生活を送って居られた時には嬌姿媚態が自己の解脱の妨げになるといって、ひそかに城をぬけ出られた。しかし今は降魔成道して何ものにも心動かされることのない仏陀である。

さてそのように考えて来ると、仏陀が女性の悪徳を非難されても、それは非難することによって何人かを覚りの道に入らせるためであったと解するより外に方法はない。その対象は何人であったか。一は修行中の比丘であり、一は女性自身であった。修行中の比丘に向って、異性を讃美すれば情欲のとりこにさせる危険がある。一切無頓着でいられるならばそれにこしたことはないが、何とはなしに心惹かれるようならば、美しい薔薇の花には刺の多いことを知らせねばならぬ。つまり心弱き男性修行者に対し、陥り易い危険を強く警戒されたためにこういう結果になったのである。しかし、これだけの理由で女性の悪徳を非難されたとすれば、女性にとって誠に迷惑千万な次第であるが、他面では女性自身に対し、反省を促し修養の手引きにさせようという深い考えがあった。

一体宗教の世界は我心我慢を除くことを以てその門とする。自己の過失に気付かぬ者には、無我が体験の伴わぬ空理となる。罪を感ずる者には罪の除かれる道が開かれるけれども、罪を感じない者には罪がないということは出来ない。仏陀が女性の悪徳を指摘されたのは、女性を軽蔑し女性を憎悪されたためではなく、かえって女性を憐れみ女性を慈悲によって導こうとせられたために外ならぬ。罪や汚れを指摘するはそれを気付いて反省させるためであり、罪や汚れを気付いて反省させるのは罪や汚れなき清き人格を完成させようというためであったのである。

五

仏教で一番肝心なことは成仏するということである。どんなに理論を高くかまえても、自分の成仏という大目的と無関係であるならば、宗教として価値がない。そこで女性についてこの点を考えてみるに、仏典の中に重大な記述がある。それは通常いわれる五障という説であって、五障とは、女人の身には五つの障りがあり、一には梵天となるを得ず、二には帝釈(たいしゃく)となるを得ず、三には魔王となるを得ず、四には転輪聖王(てんりんじょうおう)となるを得ず、五には仏身となるを得ずというのである。梵天や転輪聖王になることはそれがどうあっても大して問題でない。しかし仏教である以上、女性が仏となることができぬというならば、これは大問題で、仏教は男性のみの宗教となるが果してそれでよいものであろうか。

声聞(しょうもん)や辟支仏(びゃくしぶつ)というのは、自分が悟ることのみを努める聖者である。こういう人は仏になることができぬという理由でたとえ地獄に落ちても声聞や辟支仏とはなるべからずと言われた。また一闡提(いっせんだい)とは、断善根とも称し、あらゆる善の根本たる信ずる心のない者である。こういう者も仏となる道は全くないと言われたものである。しかし声聞や辟支仏も、或は一闡提さえも、終には仏となることが全く不可能ではないとせられ、法華経や涅槃経の中に強くそのことが主張されている。声聞や、辟支仏は他を顧みぬ者であり、一闡提は信ずる心のない者であるから、そういう者が成仏できぬとしても不思議でない。むしろ当然であろう。しかるに女性が仏にならぬとは何事であるか。女性には何故にそれ程までの重い罪があるのか。これは当然とは考えられない。女性に成仏を拒否することそのこと自体が不思議である。

それではどういう理由で女人は仏身となり得ないというような説が起ったのだろうか。その根拠が明白でないが、これは仏教として、根源的な説でなく、後世の仏教徒の考えが混乱して、事実と原則とをとり違えた結果であると思う。すなわち釈尊は仏陀となられたが、その釈尊は男性であった。そのことから、仏陀となるには男性でなければならぬと信ぜられ、やがてそれが反面から言えば女性では仏と成り得ないという説を生むようになったのであろう。しかしこうした論理が誤っていることは明白である。このような論理をもつてすれば、釈尊は印度人であり王子であったゆえに、仏となるには印度人であり、王子たる経歴の所有者でなければならぬこととなる。

果して大乗経典の立場よりは、こういう考え方を徹底的に打破する。例えば法華経の中には、摩訶波闍波提や耶輸陀羅等の諸比丘尼に将来成仏するとの予言がなされているだけでなく、竜という畜生の娘で僅か八才にしかならぬという子供が、法華経の力によりたちまちに成仏したと説かれている。維摩経には天女が現われて舎利弗（しゃりほつ）というような大弟子に対し堂々たる大演説をなし、舎利弗が、「汝は何故に女身を脱しないか」と尋ねると、天女は、「自分は十二年来女人とはどのようなものかと考えてきたが、女人というようなものはどこにもなかった。すでに女人というものがない以上、それを脱するということもあり得ない」と答え、とうとう神通力によって舎利弗を天女の形にし、天女自身が自分を舎利弗の形に変現せしめたという。

これらは男女の性別という問題は第一義諦よりすれば何の意味もなく、すべては平等に仏陀となるのであるから、さらさら執着しこだわるべきでないことを教えている。

六

弥陀の浄土極楽に生まれるには、化生（けしょう）であって胎生ではない。故に極楽には母がない。従って女性がない。女性がないということは男性女性の区別がないということであり、性がその国では全然問題にならぬということである。

無量寿経に見られる弥陀の四十八願の中には第三十五願に女人成仏ということが誓

われている。女人が弥陀の名を聞き菩提心を発して女身を厭うならば、死後再び女像となることがないというのである。女人が女像とならぬというのであるから、男子の身に変化するのであり、その意味で変成男子（へんじょうなんし）の願といわれる。しかし、その実は、これは女性が自ら女性の身であることを一般に厭い嫌っていたことを反映するものである。ここでは女性が心的弱点の故に男子から非難され嫌忌されているのでなく、女性が身体的障害の故に自ら女性であることを厭悪しているのである。

医学の進歩した今日と雖も、女子には女子特有の生理現象があって、妊娠分娩の苦痛がある。熱帯国の古代ではなおさらその苦痛は大きかったであろう。一面女性の身体的苦しみの訴えを代弁したものであると共に、他面、性の汚れから浄化された精神的な世界への憧れと見て、浄土教の女性観がはっきりする。

天親菩薩の浄土論には、極楽に女人と不具者と二乗種とは生ぜずと説かれている。二乗種とは前に述べた声聞や辟支仏のことである。こういうものが極楽に生じないということができぬという意味ではない。極楽には女人や不具者や二乗種は存在しないという意味である。不具者や二乗種と同様この世では女人であっても、そういう人が極楽へ生れることには何等の障害がないのであって、第三十五願の変成男子女人成仏の願はこの事を別の面から強く裏書したものと言えるであろう。（昭和二十八年　教化四号所載）

著者略歴

横超慧日（おうちょう　えにち）

1906年、愛知県に生まれる。

1929年、東京大学文学部印度哲学科卒業。大谷大学名誉教授、文学博士。

1996年、逝去。

著書
『北魏仏教の研究』『涅槃経―如来常往と悉有仏性』『法華思想』（平楽寺書店）、『羅什』（大蔵出版）、『中国佛教の研究』『法華経序説』『仏教とは何か』、編著『仏教学辞典』（いずれも法藏館）など多数。

新装版　仏教とは何か

一九六六年六月　一日　初　版第一刷発行
二〇二一年二月一五日　新装版第一刷発行

著　者　横超慧日
発行者　西村明高
発行所　株式会社　法藏館
京都市下京区正面通烏丸東入
郵便番号　六〇〇‐八一五三
電話　〇七五‐三四三‐〇〇三〇（編集）
〇七五‐三四三‐五六五六（営業）

装幀　山崎　登
印刷・製本　亜細亜印刷株式会社

ISBN 978-4-8318-6576-2 C0015